W9-AHO-134

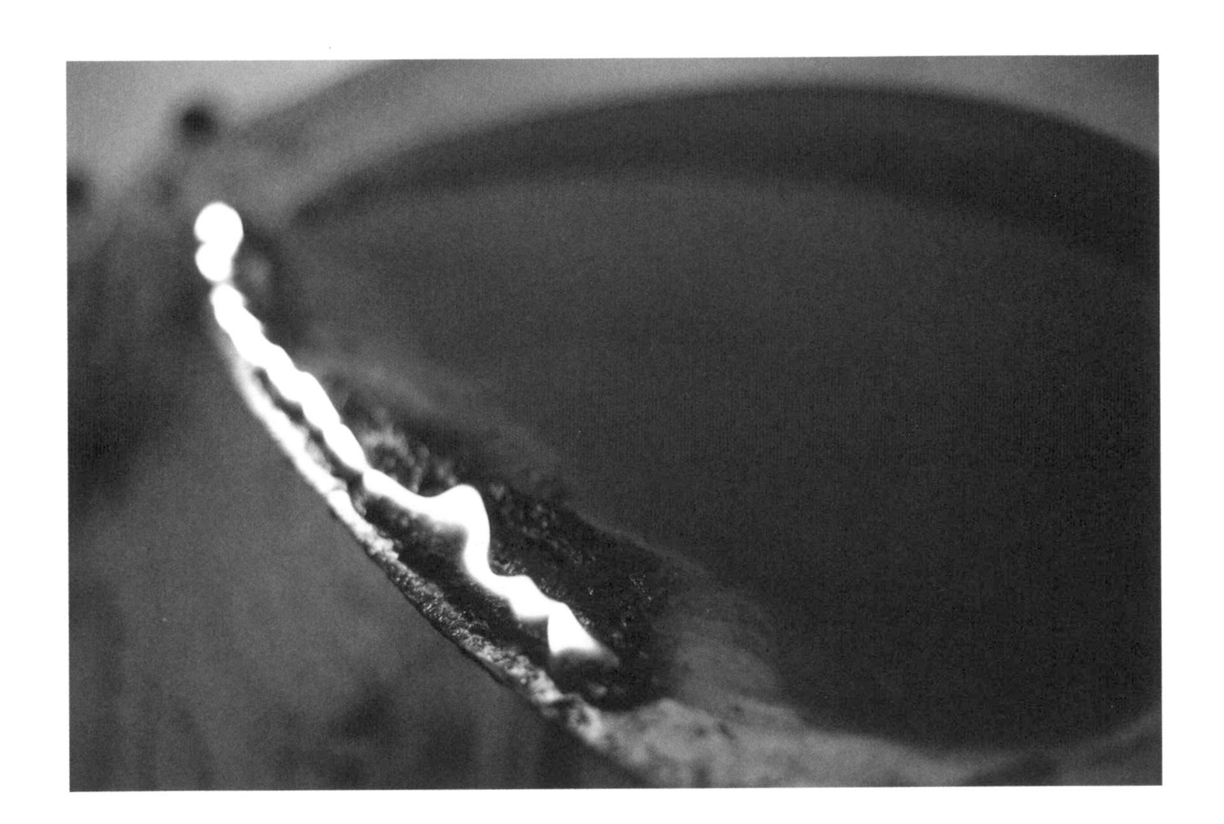

Published by Inhabit Media Inc.
www.inhabitmedia.com

Inhabit Media Inc. (Iqaluit) P.O. Box 11125, Iqaluit, Nunavut, X0A 1H0
(Toronto) 191 Eglinton Avenue East, Suite 310, Toronto, Ontario, M4P 1K1

Editors: Neil Christopher, Kathleen Keenan, and Monica Ittusardjuat
Translator: Jeela Palluq-Cloutier
Art Director: Danny Christopher
Designer: Astrid Arijanto and Sam Tse

We acknowledge the support of the Canada Council for the Arts for our publishing program.

This project was made possible in part by the Government of Canada.

ISBN: 978-1-77227-199-7

Printed in Canada.

NIQILIURNIQ

Micah Arreak • Annie Désilets • Lucy Kappianaq
Glenda Kripanik • Kanadaise Uyarasuk

NIQILIURNIQ

PIGIARUTAA

Niqi inuusiuvuq Niqi pimmariuvuq uummaringnirmut, piunirmut, quviasungnirmut, sanngijuniglu timiqarnirmut isumamullu.

Niqi uumajjutillarigijavut, kisiani maannauliqtuq mamaqtuqsiurutaulluni, qanuinngittiarasuutaulluni, quviasuutaulluni, aglaat pinajanngitaraluanik pijunnautaulluni. Nunalingni Nunavummi aturumavaktavut asijjiqsimaliqtut amisuuniqsanik niqiksaqaqpaliqtilluta. Taimaippallialilauqsimavuq taissumanialuk palaugaarmik pitaqaliqtillugu arvagasuktinit niuviqtinillu Kanataup ukiuqtaqtunganualauqsimajunit 1800-nginni. Palaugaaliuqpalilauqsimavut tamannalu piusittinnut ilaliutisimalilauqsimalluni. Taimannganit niqinik ajjigiinngittunik tikitauvalliatuinnaqpugut. Ilangit tikititausimajut piusittinnut nirijjusittinnut ilaliutittiaqsimajut, kisiani ilanginnik isumaliuttiariaqaqpugut, piluaqtumik timimut akailliurutiqaqpaliqtillugu nirittiaqattannginnirmut

Qaujimavugut inuit niqilimaangit timimut piuninginnik. Ilaqarmata timittinnut piujunik, uqsunik piujunik, ilauqsimanatiglu suurlu tariurmik sukarmigluunniit. Inuit niqinginnik niqiqarniq ikajuutiqarivuq avatittinnik suruittailinirmut niuvianik niqiqarnirmit ammalu nirivaktanik asijjiinani piqqusirmiglu kajusitittijjutaulluni. Pimmariuvuq inuksiutinik niqiliriniq ilinniaqtaujariaqarninga kinguvaangujunut. Timittinnut piulluni tarnittinnullu piulluni.

Piluajjualirmat niuvirvingni niqit niuviaksat ilaurutiqauruluujarningit. Tamarmikasak taakkua niuviaksat ilauqsimangmata suurlu piunngittunik uqsunik, sukarnik, tariurnik, ilajaksanik, surujjaikkutiniglu timittinnut akailliulirutaujunnaqtunik. Piluaqtailiniq piuniqsauvuq: niuviat ilauruluujaqsimakpat ilanginnik qaujimanngitarnik niuvinngillugu!

Taanna saqqitaulilauqpuq inuit niqingit niuvianguvaktuniglu niqittiavanik niqiliurutiksaujunnaqujaulluni. Inuksiutituinnaungittut ammalu niqilirijimit niqittiavainnarnik sanajuminngaarnatik. Isummiqsitittijjutauvuq qanuq inuit niqingit ammalu niuvirvingminngaaqtut sanajaujunnarmangaata, uunaqsigatuinnarnik kinguvviillutik, ammalu niqittiavanik nirivaktarnik piusivaallirutauluni ajjigiinngilirutaullunilu. Taanna inungnik niqiliurunnaqsijjutaujunnaqpuq nangminiq sanalugit, uqaujjuigiarutaullunilu niqilirinirmik. Inuit niqinginnik niuvirvingninngaaqtuniglu akikittunik qautamaat nirijaujunnarutiksaliangusimavuq.

Nuatausimajut Iglulingmiunit niqiliuqpaktunit asiminut ikajuutiqarumajunit. Taakkua niruarijausimajut niqittiavauninginnut, ilaurutit atuinnauninginnut, inuksiutinik aturninginnut ammalu ajjiunnginninginnut, piggananngittuullutiglu sanagiangit.

Ilangit uqaqpaktut niqi angiglijunnarninganik avakkutautillugu. Niriukpugut taassumuuna niqiliuqattalirumalutit, nirittiaqattarlutit, avakkutiqarlutillu!

ASIJJIQPALLIAVAKPUT QAUJIVALLIALLUNI

Nunamit Niqit Piqqaarlugit

Niqit tariurmit nunamillu angunasungnikkut ningirnikkullu inuusirnut avatittinnullu piuniqpauvut. Ilasimanatik qupiruqajjaikkutinik, suksarnik, uqsuttiavaunngittunik, tariurmiglu. Niqit angutat nutaanguvut timimullu piuniqsaullutik. Avatittinnut aktuinnginniqsauvut nunainnarmi piruqsimagamik, nunamillu atausiuqatiqaramik. Ungasiktumut aullaqtisimajariaqaratik, immuksiugat niqingit ungasiktuminngaarmata, paurngallu California-minngaarmata ungasiktummarialungmit nirijaksarivaktasi. Nirivakkavit ikajurniqarunnaqputit angunasuktinik, angunasugiarunnarillutit, nunivakpaglutit apiqsurlutillu inutuqarnik niqiliurutiksaujunnaqtunik.

Tarnirmut Piujut Niqit

Niqi nirijaksatuinnaunngilaq - iliqqusittinnut aktuajuq. Ilinniaqtittiniq niqilirinirmik nunalingmiunik niqiqainnarutauttiarunnaqpuq. Kinguvaariingnut Nunavummiut niqituqtiuniqsaunginnaujaqsimajut. Sivulivut qaujisimangmata kisut niqit timimut piungmangaata nunagijaq maliglugu. Inuusiq asijjirjuaqsimaliqtuq qilamimmarikuluk, inuusittinni atuqpaktavut aksururnaqsimajuq. Kisiani inuit niqingit nalunaiqsiinnaujarniaqput inuunittinnik. Niuvigaksaunngilaq angunasuktiup quvianninga angirraqtillugu angusimalluni, avakkutiqarniup quvianarninga kinguvvigaksaunngilaq. Inuit niqingit timimut uunarutauvuq sanngijjutaulluni tarnirmullu quviasugutaulluni. Inappavut makkuktut nunamut atainnaqullugit inuillu piusinginnik atuinnaqullugit. Niqit nunaqqatigiinut uumajjutauvut, sanngijjutauvut annaumajjutaullutiglu.

Ajjigiinngittut

Ajjigiinngittunik niriqattarniq piummarikpuq timimut. Kanataup Nirijariaqarnirmut Maligaksanginnit nalunaiqtausimajunit tisamanit nirijariaqaqtarnik nirinasuaqpaglutit. Ilaugaksat niruaqtatit ajjigiinngittunik ilaqaqpaktut timimut piujunik; ajjigiinngittunik niriqattaruvit timivit aturiaqaqtanginnik tamainnik pijunnarniqsaunajaqputit inuusiqattiarniarlutit.

Niuvirvingmi aulattijit tikisaiqulugit nutaanik niqinik timimut piujunik pijumajarnik. Pijumajuqaqattarniqsaukpat niuviaksauliqtitaujuinnaujarialiit. Ikiaqqivikkut tikisaivviittauq piungmijut piukutaagunnaqtunut suurlu siirnaqsautinut. Nutaanik timittinnut piujunik niqitaarunnaillivalliatuinnaliqpugut. Atuttiarasuglugu!

Nutaanik niqinik uuktuqpaglutit. Nutaanik niqiliurutinik uuktuqpaglutit. Napaaqtuujat qalaaqtumut uusimatillugit mamarijaksarijatit, qajurmut ilasilauqsimavit? Ilasillunilu carrot-nik kiikmut ilaqarianganik ujjirnanngitittijunnaqtuq. Qanutuinnaq uuktuqpaglutit!

Niqiliurniq Kikkutuinnarnut

Innaaluuliqtuta qiturngattinnnik niqiqaqtittittiariaqaqtugut. Nukkiksimattiariaqaqtut ilinniarniarlutik timingit isumangillu piruttiarniarlutik. Mikittuuninginnik angirrami niqiliuqsimajunik niritippaglugit mamaqsalirunnaqtut nutaanik niqinik, ilaurutittiavanik inuusilimaarminullu nirittiaqattalirlutik.

Qiturngatit ikajuquvaglugit niqiliuliraangavit suurlu piruqtuvinirnik irruqtillugit, siisinik siqallitillugit, ingulaqtillugilluunniit ingularialingnik. Nutaqqat sanajaminik nirittiarunnarniqsaujut, amma niqiliuqtunut ikajuqpakkutik nutaanik niqinik uukturasugunnarniqsaujunnaqtut. Nutaqqat ikajuqtillugit ippalirnaqtuugaluaq, kisiani ilinniarutigingmajjuk kamattiarnirmik amma imminik upigusungnirmik. Piluaqtumik, niqiliuqatigiingniq ilagiinut quviasuqatigiittiarutaujunnaqtuq.

Niqiliurniq Sanavagiiqsimanngittunik

Niqiliuqtausimajut sanajarialiit timimut piujunik ilaqarniqsaujut quiksinnautiqannginniqsaullutik, sukaqannginniqsaullutik tariuqannginniqsaullutiglu uunaqsitituinnarialingnik sanavagiiqsimajuniglu. Niqiliuqtillutit sanajariaqaqtarnik aulattijunnaqputit qanuq piunnginniqsanik ilasitiginiarmangaaqpit. Niqiliurniq piliriarijariaqaraluaqtillugu pimmariuvuq inuusiqattiarnirmut qanuinngittiarnirmullu. Inuit sanannguaqtittiavaaluit, isumagajjuumut uqqualiurunnaqtut atuqtausimajuvinirnit, aulautinik aaqqiksijunnaqtut piqattianngikkaluarutik, sanannguarunnaqtut miqsurunnaqtullu, sanajamingniglu aaqqiksittiarasukpaktut. Aggamut sanajunnaqsiniq piujummariujuq. Niqiliurniq taimailluarmijuq, pivallianinga naglingniqarluni upinnarniqarlunilu. Inuusiqattiarasuarniq atuinnaqattalirunnaqtat uumakutaagutigilugulu.

Ujjiqsurit

UQSUT

Uqsut timittinnut amisunik atuutiqarunnaqtut, suurlu timittinnut uqquujunnautaulluni, piruqpalliajunut ikajurunnaqtuni amma vaitamanik issaksijjutaulluni. Timimut piujunik issaksimanngittunik uqsuqtalik ammalu timimut piunngittunik uqsuqtaqarilluni. Qaujijunnaqtatit tauttungitigut: kiniqpata, aqippata, tisikpataluunniit. Tisijut uqsut, suurlu punnirniit uqsuutiksat timimut piunngittut. Taqanik simiksilirunnaqtut uummatimullu aksururnaqtutik. Niqiliangusimajuni ilajausimavaktut suurlu usuujani, niqikutaani, amma sururnasaarunnaqtuni niqini amma patiitini aglaat kaapimut qakuqsautini. Aqittut uqsut suurlu immuujaaqtuujat immuujaaqtullu timimut piuluanngittut kisiani pilaullagaksaullutik. Kiniqtut uqsut timimut piuniqsaujut omega-3-nik uqsuqarniqsaungmata. Niqiliurnirmut sirattinirmullu atuqujinajaqpugut uqsunik piruqtuninngaaqsimajunik.

Qaujimaniaqputit ilangit niqiliurutit ilajariaqarniraqsimangmata punnirninik, uqsuutiksanik immuujaaqtuniglu. Igamut uusimajut siirnaqtuliarisimajullu aqittumik ijjuqtisimajariaqaqpangmata ammalu uqsunut mamaqsivaallirunnaqtutik (immuujaaqtumik uqausiqaqtuq!). Asianik uqsurmik atuqujinajanngilagut qanuinninga asijjirajarmat tisilualirluni uqsuqalualirluniluunniit. Taakkua timimut piuluanngikkaluaqtillugit pilausungaqattarlugit qanuinngittuq.

Niqilimaat issaksimajunik uqsuqaqtut, piqasiuttugit inuit niqingit. Kisiani niqinut nukkiksimajunnaratta silavut aksururnarunnaqtillugu. Niruarijatit isumaksaqsiuqsimalugit qaujimalutillu qautamaat qanuq uqsuqtuqtigingmangaaqpit; niqillattaat uqsungit niruariniqsaulugit niuvianit. Amisuuniqsat inuit piujunik issaksimanngittunik uqsuqtuluaqattanngittut. Nanijaksat iqalungni, piruqtuksani qaqquaganillu.

SUKAQ

Timivut sukaqariaqaqtuq, inuillu inuuvaktutik siirnaqtunik mamaqsarniarlutik. Isumagilugu inuup immunga siirnarninganik. Sukaq atuutiqaqpaktuq nirijaksani; uuktuutigilugu sukaqanngippat palaugaaliarinasuktat puvallarunnarajanngittuq. Kisiani sukait ilajausimajut timimut piuniqanngittut nukkilaukagutaujunnaqtut timittinnut piunngittut. Tamakkua ujjiqsuriaqaqtut.

Sukaq siirnarmat qakuqtaugaluaqpat kajuugaluaqpat kiniraluaqpat kininngikkaluaqpallu. Honey amma maple syrup ilauqsimannginniqsaujut kisiani suli quiksinnaqtuqarjuaqtut. Siirnaqsijjutit atausiunngittunik ilauqsimangmata piluaqtailimajarialiit.

Niqiliangusimajut angijummarialungnik sukaliqsimavaktut, aglaat ilangit siirnanngittuugaluat ilauqsimajut. Kamanajaqputit qaujiguvit qanuq sukaqaqtigingmangaata uujuqtuutit, qattaarjungmiittut qajut amma palaugaat. Ilangit imigaksat sukaqaqtigijut imigarnik! Quiksiluaqtailimaniarluni, auglu sukaqalualiqtittailiniarlugu, kigutillu auniqaqtailiniarlutik Nunarjuarmi Aanniaqaqtailitittijit uqaqsimavut 50 g ungataaniunngittuq sukaqtuqattaqujillutik, 12-nik aluutiralaanik ullurmut atausirmut. Atausiq imigaq 10-nik aluutiralaanik sukaqaqtigijunnaqtuq. Sukaliqtailijariaqanngittutit; ilangit niqit mamarniqsaungmata sukaligalaaksimallutik. Kisiani pimmariuvuq uqalimaaqattarniq ilauqtausimajunik.

TARIUQ

Tariurmut niqit mamaqsivaallirunnaqtut, kisiani tariuliqsiluarniq tiglirnirmik quvvaqtittijunnaqtuq, taqanut qaarutaujunnaqtuni, uummasijjutaujunnaqtuni, taqtunullu ajulirutaujunnaqtuni. Canadami tuqujjutaugajungniqpaujuq - pinnguangunngittualuk! Tariuq kinguvvirlugu mamaqsautinut asinginnut. Mamaqsarniaqtutit suli amma nirijaksatit tariuqannginniqsaulutik.

VITAMINIT

Quaqtitausimajut timimut piujunnarmijut nutaaqtaqanngitillugu piruqtuvinirnik piluaqtumik piruqtuviniit nutaujunniiqtillugit. Piruanittiaqtillugit avvuqtausimajut quaqtitaukautigisimajut siirnaqtut piruqtuviniillu piussuujarunnaqtut mamassuujarlutiglu. Qattaarjungniitillugit siirnaqtut piruqtuviniillu sanajauningit qattaarjungmuaqtauniarlutik timimut piuninginnik akpaqsijunnaqtut. Qattaarjungmiittut akarrijjutaujunnaqtut piussuujarunnarmata, kisiani asiqaqtinnagit atuqpaglugit.

Qaujimalutillu vitamin C-qarunniiqpaktut imarmi saqqijaaqtillugillu. Uuttivaglugit piruqtuviniit imakittumut qalaaqtitarmulluunniit—uuttiluaqtaililugit. Vitamin C-qaqtuq tuktuup tingunginni, maktaarni, nattiup qarasanginni nirijautillugit mikigaulutik quangulutigluunniit. Vitamin A amma D pitaqaqtut uqsuni iqalullu puijillu tingunginni.

NIQILIURVINGMI

Ilangit niqiliurnirmik qaujimattiaqpaktut, ilangillu maligaksatigut niqiliurumavaktutik. Piuniqsaqanngilaq piunngittuqanngilarlu. Maligaksat aaqqigiarunnaqtatit mamarilaatit piruqtuviniit mamaqsautillu aturlugit. Niqiliurvingmi qaujisarunnaqputit ilauqsiruluujarlutit ajjipalunginniglu aturiarlutit. Kappiasunngillutit—iqqaumalutit ilippakkatta tammarutigijattinnit!

NIQILIURLUTIT IKPIGUSUUTILIMAATIT ATURLUGIT

Palaugaap guuluujaalirninga nalunairutauvuq uuttiarninganik. Immuujaaqtuq sirappalattiliqtillugu niqimik sirattijariaksaq naammaksivuq. Pattaittut tisilluaqtut akturlugit, amma nailutit qaujijunnaqputit iqaluk nutaangungmangaat. Aggualaqisaaliat ilajuminaqpat ilasijunnaqtutit tumaitunik uqarmulluunniit uunnaqtunik.

Ikpigusuutittigut mamaqtunik nirijaksaliurunnaqtugut. Takulugit, tusaalugit, nailugit, uuksilugillu niqiliurnirni.

PIGIAQPALLIANIQ

Uqalimaaqqaarlugu maligaksaq niqiliurnirmut ilaugaksangillu niqiliusigianginnirni qanuiliuriaqarmangaaqpit qaujimagiarlutit ilaugaksat atugaksallu tamarmik pisimalugit. Ilaugaksalimaat kamagiqqaarlugit niqiliusigianginnirni irmiglugit, aggurlugit uuktuutimullu uukturlugit. Agguinirni uuluaqtittiniannginnavit!

MAMAQSAUTIT

Tamuavaglutit uuksilutit ilasinginnirni ilasianikkuvillu mamaqsautinik. Tariuliluaqsimajut aaqqigaksaunngittiakasaktut. Piuniqsauvuq mikittukulungnik ilasivallialuni.

MARRUIQSURNIQ

Maligaksat marruiqsurlugit pingasuiqsurlugilluunniit ajurnanngilat. Qassiiqsuqtiginiarmangaata qaujisaqqaarlugit titirarlugillu nalulirniannginnavit ilauqsivallialiqtillutit. Marruiqsuruvit pingasuiqsuruvilluunniit angigligiaqtarnik uuttininga akuniuniqsaujariaqatuinnarialik, kisiani uqaqsimaninga pigiarviksattiavauvuq. Qaujisattianginnarlugit uuttijatit qilammiujukkut qaujigiaqpaglugit.

Ujjiqsuttiarlutit mamaqsautinik. Marriuriatuinnanngittut pingasuiriatuinnaratiglu. Tariunut, papanut mamaqsautinullu ilasilluaqputit atausirmik avvanganiglu ilaqujausimaninganit, ilakkannirlugu mamaqsigiariaqaqpat. Uqarmut uunaqsijjutinik atausirmik avvaullu avvangannik ilasilutit, ilakkannirlugulu mamaqsigiariaqaqpat.

IQAUP ILUAGUT UUTTINIQ

Igaup iluagut uuttiniq pigganarniqsaarjuk igaup qaangagut uuttinirmik. Ilaurutit niqilianut surragutauvangninginnut asijjiluaqtaililugit uuktuutinut atuqujausimajut ilaksallu. Kisutuinnat pitaqarningit pijjutiqarmata. Uuktuutinut paniqtunik ilasiliruvit, saviup tukiliarninga aturlugu uuktuqtatit naammaksitittiaqpaglugit irngusip aluutiulluunniit qaangagut ilaluarniujut piirlugit. Irngusiq kasuqtaililugu ilulliqtiluaqtaililugulu taimaiqujausimanngippat.

NIQILIRITTIARNIQ

SALUMANIQ

Aggatit uasarlugit uunajuktumut imarmut uasausirlutit 20 sec-nut uasarlutit niqilirisigianginnirni niqilirianikkuvillu. Aturniaqtalimaatit uasarlugit piqasiullugit saviit agguivviit uasautimut uunaqtumullu imarmut niqilirisigianginnirni niqilirianikkuvillu. Irrurlugit siirnaqtut piruqtuviniillu aggunnginnirni. Allarutilaanik paippaanik aturlutit niqiliurviup qaanga allaqattarlugu uvvaluunniit allarutilaat qautamat uasaqpaglugit.

Asianik agguivviqarlutit niqinut aktulluanngitanik aktuqsinanngimmata. Aggatit aturniaqtatillu niqimut aktuqsisimajut uasarialiit asinginnut atulilaunnginninginni.

Timimigut piuksanngijjutiqaqtunut, aktuqsimajut atausikuluugaluarmut ilaksamut mikittukuluugaluaqpallu piunngittunnarmat. Niqiliurujjiniit asingnut ujjiqsuttiarlugu timimigut piuksanngijjutiqajattunut. Mikittukuluugaluaqpat piuksanngijjutaujuq attarnarunnarmat.

TUQQUINIQ

Qaujimaguvit qanuq niqit tuqquttiariaqarmangaata sururnasaarniqsaujunnaqtut, nutaaqsunninniqsaulutik timimullu piujjutingit jaganngillutik, niqiniglu igiuqqainnginniqsaulutit niuvikkanniriatunianngimnavit akitujunik ilaksanik.

Niglinaqtut niqit 4°C (39°F)-miitillugit tungaaniluunniit, amma uunaqtut niqit 60°C (140°F)-miitillugit ungataanulluunniit. Attarnaqtunik pirurviulikauqturunnarmata niqit naammagijaminiitinnagit. Niqilianit amiakkut niglinaqtuqautimuakautigilugit, suli uunajukpat matusimanngillugu niglitsiarilugu niglinaqtukkuvingmuarniarmat. Inuksiutit niqit nutaat tuqquqsimajariaqarmijut 4°C (39°F) tungaani. Puuqtausimajunik niqinik uqalimaarlugu puunga matuilauqtillugu niglinaqtukkuvingmuariaqarmangaat.

Niglinaqtukkuvingmi, niqit uusimanngittut alliraqarlutik alliqpaamut ilisimalugit. Taimanna asinginnut niqinut kutungnianngimmata.

Mikigat quaqsimanngitillugit niqit, iqalut, aqiggiujallu tuqquqsimajunnaqtut niglinaqtukkuvingmi ullunut pingasunut ungataanuunngittuq. Uusimakpata, tuqquqsimajunnaqtut ullunut tisamanut. Mannit nutaat niglinaqtukkuvingmiittunnaqtut pinasuarusirnut pingasunut ungataanuunngittuq.

Ujjiqsurlugit piujunniirviksangita ullungit—piungmangaat suli qaujijjutaungmat attarnarutaunani. Tuqquqtauttiaqsimakpat, niqit nirijaksauvaktut piujunniirviksanga aniguqsimaliraluaqtillugu. Tuqquttiaqsimanngippat, piujunniirunnaqtuq piujunnirviksanga nallinngikkaluaqtillugu.

Niqit tuqquqpaglugit tuqquijjutinut suurlu matukkannigaksanut puuksanut matuttiarunnaqtunullu aligurnut. Niuvianut puuksat aktakunullu puuksat ilajausimajut niqinut siammagunnaqtunik. Qattaarjungniittullu matuiqtausimaliqpata aktuqtauniqarunnarmijut matuituinnarlugit. Taimaimmat matuiqsimajut qattaarjut attarnaqtut tuqquriangit.

QUAQTITTINIQ

Nalunainginnaujarlugit niqit quaqtitatit ullunginnik. Mikikkat atausiatuinnarlugit quaqtittarialiit. Mannguksimaliqpat quaqtikkanniriaqanngittut uuttittiaqsimanngisungaqpat. Uuttisimakpat atausiarlugu quaqtikkannirunnaqtat.

Quanik mannguksiivaglutit niglinaqtukkuvingmi pirurviulirnianngimmata. Mannguksimaliqpat, atusikautigigiarlugu. Qaujimalutit quaqsiivingmiikutaaksimajut timimut piujjutingit tipingillu asijjituinnarialiit.

NIQILIURNIQ

Aqiggiujat siqalisimajullu niqit uuttiaqsimajariaqaqtut. Nalugalakkuvit niqinut uunarniqsiurut aturlugu. Attarnarnianngimmat siqalisimajut niqit uunaqsitigijarialiit 71°C (160°F)-mut, amma aqiggiujat 74°C (165°F)-mut. Uqaujjuisimavut niqit angijut (tuktu, aiviq) mikittullu (ukaliq) uuttijariaqarmata 74°C (165°F)-mi, amma iluittut tingmiat (nirlit, aqiggit) uuttijarialiit 82°C (180°F)-mut.

IGUNAQSIINIQ

Igunaqsimajut mamarijaujummariit. Niqinut piuqsuarutauqattaqsimajut kinguvaariigasangnut. Niqit igunaqsimajut uuttisimanngimmata kamagijauttiarialiit. Inuit niqingit igunaqsiangulluaqtut niglinaqtumi anirniqarnaqtuqaqtumilu. Igunaqsiivanngillutit matusimajunut, suurlu auktajuunut puuksarnullu. Niqi qupirruqalirunnaqtuq—tipiqangikkaluarluni aannialirjuarutaujunnaqtuq.

Ujjiqsuriaqarmijut niqit kumaqanngikkaluarmangaata. Pitaqagajuktut aivirni nanurnilu. Kumaktaarunnaqtutit niriguvit mikigarmik, igunarmik, uusimanngittuniglu niqinik kumaqaqtunik. Nunavut gavamanga akiqanngittumik qaujisarunnaqtut nirjut nirijaksaungmangaat uqanganik qaujisarlutik. Angunasuktulirijikkusi aaniarvigluunniit tukisigiarvigikkannirunnaqtasi.

"Mamaqtuq mamaqtuq nattiminiq uujuq… "
—Paiggaalaqautikkut

Paiggaalaqautikkut Iqalungmiut inngiqtit inngiusiqaqtut tusarnirijaujumik inuit iliqqusinganinngaaqtumik. Nattiq uujuq asianut kinguvviqtaulauqsimanianngittuq. Niqimmarigijauqataujuq. Tariurmit piujualungnik mamaqtualungnik niqitaarunnaqpugut angunasuktauttiaqsimakpata.

Inuksiutit nirillugit mikigaugaluaqpata quangugaluaqpata piuniqpaujut timimut piujjutinginnut. Tavvani maligaksaliangusimajut katittisimajut inuit niqinginnik mamaqsautiniglu ammalu ajjigiinngittunik uuttijaullutik ajjigiinngittunik timimut piujunik niqiliurutiksanik. Iqaluit nirijaugajungniqpaujut papirulingnik Qikiqtaalungmi, kisiani asinginnik papirulingnik aturunnarmijutit. Quviasuutigilaurlavut tariurminngaaqtut mamaqtut!

IGAMUT UUSIMAJUQ IQALUK

Niqiliuqtuq Kanadaise Uyarasuk

Akuniuninga: 20 min
Uuttininga: 20 min

Niqtiqsijuq 8-nut

Igaup iluanut uuttiluni iqalungmik pigganangittuq timimullu piulluni. Iluittuulugu iluittuunngillugulunnniit uuttijunnaqtat, mamainnarniaqtuq pijariatunanilu. Ilasijunnaqtutit nutaanik paniqtunigluunniit mamaqsautinik suurlu tarragon uvvaluunniit dill, iqaluk tipiqattialirniarmat, uvvaluunniit niqtirlugit lemon issinganik ilalugit uvvaluunniit tartar misuktautimik.

---

1 iqaluk (2 kg uvvaluunniit 4½ lbs)
¼ irngusiq uunaqtuq imaq
1 puuq aqiggirjuarmut ilaksat (170 gr)
½ irngusiq mayonnaise
Tariuq
Papa
1 mikittuq itiujaq, agguttiaqsimaluni

MALIGAKSAT

Iqaluk irraviirlugu irrurlugulu. Niqaiqsilutit marruungnik iqaluup sanirangik sauniijarlugiglu. Amiraijanngillugik Saniraak uuttijjutimuarlugik amiranga ataaniilluni.

Uunaqsitippagiirlugu igaup ilua 350°F-mut.

Aqiggirjuarmut ilaksaq imarmuarlugu sanirvaglugulu 5 min-nut paniqtut kiniqtillugit.

Iqaluup qaangik mayonnaise-mut minguarlugik.

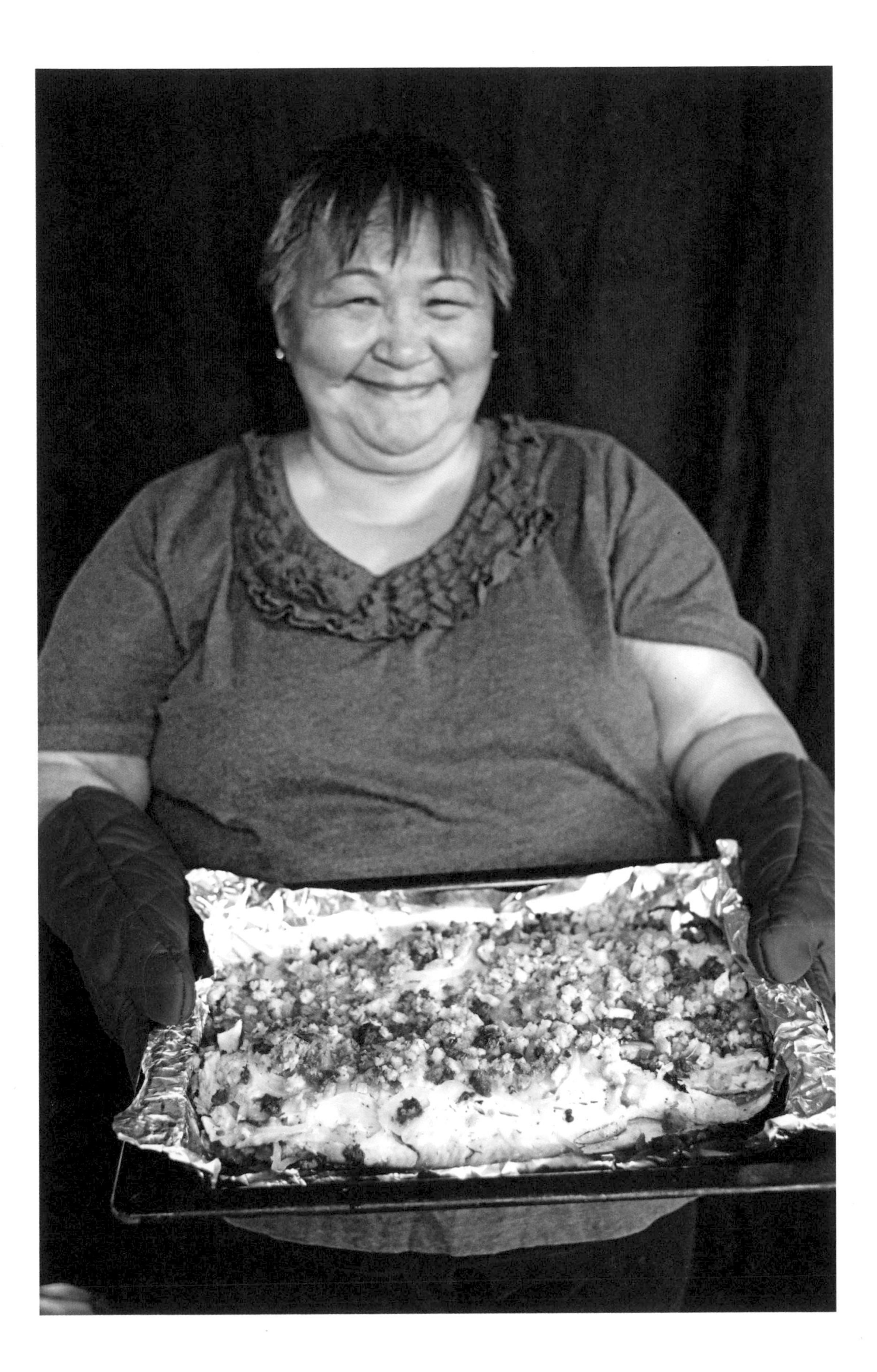

Illirilugik tariurmik papamiglu.

Ilalugit agguqsimajut itiujat aqiggirjuap ilaksanganik qaanganut.

Iqaluk matulugu uuttijjutimut qilliqtumut.

Uuttilugu 20 min-nut iqaluk uuttiaqtillugu.

ASIJJIGAKSAT

Aqiggirjuarmut ilaksaq kinguvvirunnaqtat paniqsimajunik palaugaavinirnik, agguqsimajunik mamaqsautinik parsley, qaangagullu uqsulirlugu olive-mik, ammalu lemon issinganik.

IQALUK NIAQAUJALIURUTIMUT

Niqiliuqtuq Micah Arreak

Akuniuninga: 15 min
Uuttininga: 20 min (iqaluk) 40 min (niaqaujaliurutimut)
Niqtiqsijuq 8-nut

Taissumani iqaluit niaqungit inutuqarnut mamarijauvalauqtut papiruatalu miksaa nutaqqanut nirijauvaktuni sauniqannginninganut. Niaqunga papiruqarvialu sanirvagunnaqtaakkik nirijaulaatuinnarmatik.

---

1 Atausiq mikittuq iqaluk (6-nik irngusirnik iqalungmik uuttijunnaqtuq)
1 mikittuq itiujaq, agguqsimalugu
3 celery, agguqsimalugit
⅓ irngusiq uujuqtuut
2 manniik ingulaqsimalugik
2 aluutirjuak lemon issinga
Tariuq papalu, mamaqsaut
Dill (nutauluni paniqsimaluniluunniit) mamaqsaut

MALIGAKSAT

Uunaqsitippagiirlugu igaup ilua 350°F-mut.

Iqaluk irraviijarlugu, irrurlugu, aggurlulugu 4-nut 5-nulluunniit nalimugiiktunik.

Ukkusigjuarmut imalingmut matulugu. Qalaaqtillugu, qamigiarlugulu uuttilugu iqaluk 20 min-palungnut uuttiaqsimaliqtillugu, angininga maliglugu. Iqalut mumiktippaglugit uuttiaqtuinnauniarmata.

Imanga kuvilugu iqaluglu niglittiarilaukaglugu.

Amirangit sauningillu piijarlugit aggangnut niqaalu aggurlugu kakiangmut.

6 irngusirnik iqaluk inguttivingmuarlugu ilaksangillu ilalugit. Amiakkuqaruvit asianut aturunnaqtatit uvvaluunniit sanakkannirlutit niaqaujaliurutikkannirmut.

Ingusimajuq niaqaujaliurutimut kuvilugu, uvvaluunniit asianut 9 in igaup iluanut uuttijjutimut. Uuttilugu 40 min-nut qitinga uunaqsitillugu.

ASIJJIGAKSAT

Iqaluk asijjirunnaqtat asianut papirulingmut uvvaluunniit qattaarjungmiittumut amma itiujat tariurlu asijjirunnaqtat itiujarmut qajuksamut. Uujuqtuut kinguvvigaksaujuq tomato kinilaamut, amma manniik kinguvvigaksaujuuk 1/4 irngusirmut mayonnaise-mut.

IKAJUUTIT

Iluittuuniarluni nirijaksaq ilajunnaqtat ingusimajumik pattaittunik qaangagut akuniuniqsaarjuglu uuttilugu.

IQALUK TARTARE

Niqiliuqtuq Glenda Kripanik

Akuniuninga: 20 min *Niqtirunnaqtuq 4-nik*

Iqaluk uusimanngittuq timimut piuniqpauvuq niqingalu asijjiqsimanani uutaunikkut. Taanna tartare-liuruti iqaluup tanginganik saqqittittiakkannirunnaqtuq. Naliagluunniit tipiqarniqsaulluanngittuq—mamaqsautinut naammaksitigiarlugu.

---

700 g (1½ lbs-paluk) iqaluup saniraa, nutaanguluni
2 aluutirjuak uujaujat itiujakutaat, agguqsimattiarlugit
2 aluutirjuak lemon uvvaluunniit lime issinga
2 aluutirjuak mayonnaise
1 aluutirjuaq mamaqsaut Dijon mustard
1 aluutirjuaq capers (atunngittunnaqtuq)
1 aluutiralaaq Tabasco (atunngittunnaqtuq)
Tariuq papalu mamaqsautit

MALIGAKSAT

Amiraijarlugu iqaluk.

Iqaluk aggurlugu kippaariktuutaulugit

Iqaluk inguttivingmuarlugu ilajaksalimaat ilalugit ingularlugu iqaluk ilaksamitittiarlugit. Ilalugit tariurmik papamiglu mamaqsitillugu nirijaukautigiluni. Nirijaukautigijjaanngippat niglinaqtukkuvingmuarlugu.

ASIJJIGAKSAT

Ilasijunnarmijutit sesame piruqtuksanik uvvaluunniit sesame uqsungannik asianik tipiqaquguviuk.

Kinguvvirunnaqtat lemon uvvaluunniit lime issinga ajjigiiktuungnik white wine vinegar amma mayonnaise ilalugu olive uqsuksarmik (timimut piuniqsaq).

Atuinnaukpat, ilasijunnarmijutit 1 aluutirjuaq mamarilaarnik agguqsimajumik mamaqsautimik, suurlu coriander, parsley uvvaluunniit dill.

IKAJUUTIT

Iqaluk nutaattianguluni irruqsimattiarlunilu. Sivalaarnut, sivanut, palaugaarnulluunniit nirijauluni.

IQALUK KIṄIQTUQ QAJUQ

Niqiliuqtuq Micah Arreak

Akuniuninga: 20 min
Uuttininga: 30 min

Niqtiqsijuq 8-nut

Angijuutinik ilaqaqtuni, kiniqtuni immungmut, aqiatturnaqtuq akausivaallirnaqtuq qajuq. Taanna aaqqigiarunnaqtat iqaluqarniit maliglugu. Uugat, ammuumajut kuanniillu atuqtaujunnarmijut katitaulutik kinguvviutaulutigluunniit iqalungmut.

---

1 Atausiq mikittuq iqaluk (1 kg uvvaluunnit 2 lbs)
3 angijut pattaittut, agguqsimalugit

1 itiujaq agguttiaqsimaluni
4 bacon agguqsimalugit
8 irngusit imaq
2 aqqigiujarmut qajuksat kippaariktuuk
1 irngusiq corn, quangulutik qattaarjungmilluunniit
⅔ irngusiq kiniqtuq immuk (35%)
1 aluutirjuaq mamaqsaut dill (nutauluni paniqsimaluniluunniit)
2 paniqsimajuuk uqaujarjuak
Tariuq papalu mamaqsautit

MALIGAKSAT

Irrurlugu, irraviijarlugu iqaluk. Marrungnik sauniijarlugiglu. Sauniqarunniittiaqpat aggurlugit kippaariktuutaulugit. Amiraijarunnaqtat amiraqaqtilluguluuniit, niruarijarnik.

Ukkusigjuarmut bacon uuttiqqaarlugit sanirvaglugillu. Taassumungassainnaq itiujat uuttilugit bacon uqsungannut.

Ilalugit imaq, qajuksaak, dill, uqaujarjuak, pattaittullu. Qalaaqtillugu, qamigiarlugu iga, uuttilugillu pattaittut uuttianikasaglugit.

Ilalugit iqaluk amma corn, uuttilirmilugit qamigiaqsimajumut 5 min-nut.

Ilavalliaraarjuglugu immuk qalaaliqtikkannirlugu.

Uqaujarjuak piirlugik ilalugu tariurmik papamiglu.

Qajuqtuqtittilirlutit bacon-nik ilasimalugu qaangagut.

ASIJJIGAKSAT

Niritittisigiannginnirni ilajunnarmijat qajuq nutaanik mamaqsautinik chive uvvaluunniit parsley. Mamaqsaut dill kinguvvirunnarmijat paniqtunik piruqtuvinirnik niruarijarnik, suurlu Italian uvvaluunniit Provençal mamaqsautit.

IQALUK SAATTUT QAQQUAT

Niqiliuqtuq Micah Arreak

Akuniuninga: 10 min
Quaqsirninga: Ikarrat
Uuttininga: Ikarraak marruuk

Niqtirunnaqtuq 8 nik tamulugaksaulutik

Timimut piulluni mamaqtunilu patiitinik kinguvviijuq. Akuniugaluaqtuni sananinga utaqqittiarluni mamaluakkanniqtuq! Nikkuliurutiqaruvit atungaarunnaqtat igamuunngingaarlugu, aullaaqsimaguvit iqaluk nikkuttiarilugu piusittut, siqinniqtumi anuraaqtumilu.

---

1 Atausiq mikittuq iqaluk (1 kg uvvaluunniit 2 lbs)
Imaq tariurmit imarluunniit tariuliarjuglugu

MALIGAKSAT

Iqaluk amiraijarlugu sauniijarlugulu.

Iqaluk tariulirlugu uvvaluunniit imarmut tariurmut misuglugu.

Iqaluk quaqsilaukaglugu (tamanna atunngittunnaqtat kisiani aggugarnirniqsauniaqtuq quamajaangukpat).

Uunaqsiarivagiirlugu igaup ilua 200°F-mut.

Uuttijjutiginiaqtat qaalirlugu uuttijjutimut paipparmut (uvvaluunniit tisamanik niuvianik uuttijjutinik igamut tisamanik ilisivviqaqtumut).

Iqaluk saattuutimmarikulungnut aggurlugu (takuvviksaukasakpasaarluni) iliuqqarlugit uuttijjutiginiaqtarnut, aktuaqattautittaililugit.

Nikkuttiarilugit igami ikarraangnut marruungnut qaqquagannguqtillugit.

ASIJJIGAKSAT

Iqaluk ilajunnaqtat piugilaarnik mamaqsautinik igasigiannginningani mamaqsivaallirniarmata qaqquagaliatit.

IKAJUUTIT

Qaqquagaliatit pinasuarusilimaarmut piujunnaqtut matusimattiaqtumut tuqqurlugit niglasuktumiitillugit. Atukkannirunnammariktatit patiitit puungit!

TIMIMUT PIUJJUTINGIT

Iqaluk pimmariuniqpauvuq omega 3 uqsungannut Nunavummiunut. Niriguvillu atausiarlutit 100 g-nik nirinajaqputit ullurmut atausirmut vitamin D-tuqattaqujaujunut.

IQALUK PIZZA

Niqiliuqtuq Kanadaise Uyarasuk

Akuniuninga: 15 min
Uuttininga: 10 min

Niqtirunnaqtuq 4-nik

Angirrami sanasimajut pizza timimut piuniqsat, akikinniqsat nutauniqsaullutiglu niuviangusimajunik. Piugilaarnik ilajunnaqtatit nutaqqallu mamarijamingnik niruarlutik.

---

4 pita palaugaat saattut
½ irngusiq sour cream
300 g (about ½ lb-paluk) nutaaq quaqsimajuq iqaluk, uvvaluunniit pujuuqtisimajuq, saattutauliqsimalutik.
1 irngusiq mozzarella siisi, siqalisimajuq
4 atungaujat, saattuutaulutik agguqsimajut
½ aupaqtuq itiujaq, agguttiaqsimaluni
Mamaqsaut dill, nutauluni paniqsimalunilluunniit
Tariuq papalu mamaqsautit
1 lemon agguqsimaluni tukimut

MALIGAKSAT

Uunaqsitippagiirlugu igaup ilua 425°F.-mut.

Igajjutimut 4 palaugaat saattut ililugit minguarlugillu sour cream-mut.

Ilaqqaarlugit iqalungmik, siisimik, atungaujanik, itiujaniglu. Qaangagut mamaqsausirlugu dillmik tariurmik papamiglu.

Uuttilugit pizza 10 min-palungnut igaup qitianiillugit. Igaup iluani qulaaniinniqsamut 2-3 min-nut sirallugit uuttianingnialiqpata siisinga uuttilugu. Niglittiarilugit 5 min-nut.

Niqtirlugit lemon-nik agguqsimajunik ilalugit.

ASIJJIGAKSAT

Palaugaat saattut kinguvvirunnaqtut asinginnut saattunut palaugaaralaanut suurlu naan uvvaluunniit pizzaliurutinut.

IQALUK IKIARMILIK

Niqiliuqtuq Glenda Kripanik

Akuniuninga: 20 min
Uuttininga: 20 min (iqalungmut)
Niqtirunnaqtuq 4-nik

Ikiarmilik sanajarniqtuq ilinniarnautillugu ullurummitarnanut taquaksaujunnaqtutiglu. Palaugaaq sirattunnaqtat sirasimajuqturumaguvit.

---

1 Atausiq mikittuq iqaluk
 (6-nik irngusirnik iqalungmik uuttijunnaqtuq)
¼ irngusiq paurngat paniqsimajut
¼ irngusiq mayonnaise
¼ irngusiq tartar
8 palaugaat niaqaujarmit
Tariuq papalu mamaqsautit

MALIGAKSAT

Paurngat paniqsimajut uunaqtumut imarmuarlugit 5 min-nut aqigliniarmata, imangalu kuvilugu. Sanirvaglugu.

Iqaluk irraviijarlugu, irrurlugu, aggurlulugu 4-nut 5-nulluunniit nalimugiiktunik.

Ukkusigjuarmut imalingmut matulugu. Ukkusik qalaaqtillugu, qamigiarlugu uuttilugu iqaluk 20 min-palungnut uuttianittiaqtillugu iqaluup angininga maliglugu. Iqalut mumiktippaglugit uuttiaqtuinnauniarmata.

Imanga kuvilugu iqaluglu niglittiarilaukaglugu.
Amirangit sauningillu piijarlugit aggangnut niqaalu aggurlugu kakiangmut.

2 irngusiq tatallugu siqalisimajunik iqalungmik ingularlugit paurngat paniqsimajut, mayonnaise, tartar, tariuq papalu. Iqalup amiakkunga asianut aturlugu uvvaluunniit sanajat angigligiarlugu.

Palaugaarmut ikiarmiliutilugu.

IKAJUUTIT

Nangminiq tartar-liurunnaqtutit ingularlugit 1/4 irngusiq mayonnaise amma 1 aluutirjuaq relish uvvaluunniit agguqsimajut pickles..

TIMIMUT PIUJJUTINGIT

Timimut piujumik nirijumaguvit, niruarilugu 100% kajuq palaugaaq niaqaujaq. Qaujigiarlugit ilasimaningit - whole grain sivulliqpauluni ilasimalluaqtuq. Whole-grain kajut palaugaat timimut piuniqsaujut atuutiqarniqsaullutiglu qakuqtunik palaugaanik. Taakkua palaugaat piijarviusimannginniqsaujut timimullu piujumik ilaqaqtutik bran-mik germ-miglu piiqtausimavaktunik qakuqtunut palaugaanut.

MAKTAAQ AGGUALAQISAAQ

Niqiliuqtuq Lucy Kappianaq

Akuniuninga: 30 min
Uuttininga: 30 min

Niqtirunnaqtuq 6-nik

Uunajuktillugu aggualaqisaaq ilalugu siqalisimajunik sivalaarnik.

---

1 aluutirjuaq uqsuksaq
1 itiujaq, agguqsimalugu
2 celery, agguqsimalugit
1 aupaqtuq bell pepper, aggurlugu
2 irngusiik imaq
2 angijuuk pattaittuuk, agguqsimalugit
1 irngusiq maktaaq (tuugaalik qilalugarluunniit), agguqsimalugu
1 qattaarjuk (284 ml) qajuksaq atungaujannguat
2 irngusiik immuk
1 irngusiq tariurminngaaqtuq niruarijat (kingut, ammuumajut, scallop)
1 aluutiralaaq dill, nutauluni paniqsimaluniluunniit
2 aluutirjuak lemon issinga
Tariuq papalu mamaqsautit

MALIGAKSAT

Ukkusigjuarmut uunaqsitillugu uqsuksaq itiujat celery pepper-lu uuttilugit 15 min-nut, aqiglitillugit.

Imaq ilalugu qalaaliqtillugu. Ilalugit pattaittut maktaarlu. Uuttilugit pattaittut aqiglitillugit, 10 min-palungnut.

Ilalugu atungaujat qajuksaq, immuk, imarmiutat amma dill. Qalaaliqtilaurlugu qamigiarlugu uuttittiarlugu, 5 min-palungnut.

Ilalugu lemon issinga ilalugulu tariurmik papamiglu.

ASIJJIGAKSAT

Uqarmut uunnaqtunik mamaqsaruvit ilalugu red pepper flakes.

MAKTAAQ PIRUQTUVINIIT

Niqiliuqtuq Lucy Kappianaq

Akuniuninga: 10 min
Uuttininga: 10 min

Niqtirunnaqtuq 4-nik

Maannauliqtuq qanutuinnaq sanajunnaqsigatta: taanna inuuqatiginngitatta ilaksanginnik katittisimajuq. Qallunaat nunanganninngaaqtuq piruqtuviniq ilasimalluni maktaarmik! Piruqtuvinit maktaarlu katillugit ilajunnaqtatit mamarilaarnik piruqtuvinirnut ilaksanik.

---

1 irngusiq maktaaq
½ irngusiq pickles, piugilaarnik, aggurlugit
4 irngusit piruqtuviniq lettuce, irruqsimaluni agguqsimaluni
½ irngusiq aupaqtuq bell pepper, agguqsimaluni
⅓ irngusiq mayonnaise
Tariuq papalu mamaqsautit

MALIGAKSAT

Agguqsimattiarlugu maktaaq.

Ukkusingmut maktaaq imirmut qalaaliqtillugu. Qamigiarlugu uuttilugu 10 min-nut. Niglittiarilugu 15 min-nut.

Ilaksalimaat ingularlugit inguttivingmut. Ilalugit uusimajut maktaaq.

TIMIMUT PIUJJUTINGIT

Maktaaq uqsungalu vitamin A amma vitamin E-qaqtuq, omega 3 uqsuqarilluni uummatimut piujunik ammalu timimut aannialiqtailijjutaulluni.

Uggurnaqtuugaluaq silamut sururnaqtut tariurmuaqpangmingmata nirivaktattinnuaqpaktutiglu. Asinginnut angunasuktauvannginninginnut saqpiliit nirivaktavut suurlu tuugaaliit qilalugallu sururnaqtuqarniqpauvaktut timinginni niqinginni. Tamakkua qakutikkut niriqattarlugit piuniqpaujut.

NATTIQ SIRAGAKSAQ

Niqiliuqtuq Lucy Kappianaq

Akuniuninga: 5 min
Uuttininga: 10 min

Niqtirunnaqtuq 4-nik

Nattiq sirasimajuq mamaqtuulluni qilamikuluk uugaksaq. Uunaqtummaringmut sirattijjutimut uqsuliarjuglugu niqi qaanga kajuqsitillugu qilamimmarikuluk, qaanginnanga uulluni ilua suli. Ilalauqtillugit ilajaksat mamarilaatit, mamaqtummaringmik nirijaksaqalirniaqtutit.

---

2 aluutirjuak uqsuksaq uvvaluunniit nattiup uqsunga
450 g (1 lb-kasak) nattiup niqinga tisamaulutik siragaksat
1 aluutiralaaq garlic powder
Tariuq papalu mamaqsautit

MALIGAKSAT

Uunaqsitillugu uqsuq sirattijjutimut uunarninga akunnianiillugu.

Uunaqsittirningani, niqi ilalugu garlic powder-mik, tariurmik, papamiglu.

Uqsunga uunaqsikpat niqi igluktut sirallugu uuttilugu mamarijarnut.

ASIJJIGAKSAT

Garlic powder kinguvvirunnaqtat bbq mamaqsautinut.

TIMIMUT PIUJJUTINGIT

Canadami Niqittiavalirijiit uqaqsimajut 75 g-nik ullurmut atausirmut niriqattalluaqtutit.

NATTIQ TERIYAKI SAUTÉ

Niqiliuqtuq Lucy Kappianaq

Akuniuninga: 15 min
Uuttininga: 10 min

Niqtirunnaqtuq 4-nik

Jaapaniisit niqinginni teriyaki niqiliurutauvaktuq niqinut, iqalungnut, imarmiutanullu, uuttijaullutigluunniit soy-qaqtumut ilaksamut. Tamanna nunarjuarmiunut nirijauvalilauqtuq 1990-nginni. Ilaksaup siirnarninganut nattiup niqinganik tipiqaqtittikkanniqtuq.

---

1 aluutirjuaq nattiup uqsunga
450 g (1 lb-kasak) nattiup niqinga, agguqsimattiarlugu
1 mikittuq itiujaq, agguqsimalugu
1 carrot, saattuutaulutik agguqsimalugu
1 celery, saattuutaulutik agguqsimalugu
1½ irngusiik broccoli, agguqsimalugit mikittuutaulirlutik

⅓ irngusiq teriyaki sauce
Tariuq papalu mamaqsautit

MALIGAKSAT

Sirattijjutimi nattiup uqsua uunaqsitillugu niqingalu sirallugu akunningata ungatittianganut kajuqsitillugu. Sanirvaglugu.

Taassumungassainnaq sirattijjutimut piruqtuviniit uuttilugit 3 min-palungnut, ingulainnarlugit. Piruqtuviniit suli qaqqugaksaulluaqtut tauttungillu taqsarittialirlutik.

Ilalugu teriyaki niqilu siralikkannirlugu.

Ingulaqtatit qalaaliqtillugit igakkannirlugit 2 min-nut.

Ilalugit tariurmik papamiglu.

IKAJUUTIT

Ilaksaqarniqsaulugu imaqarniqsauluguluunniit mamarijarnut naammaksitillugu.

ASIJJIGAKSAT

Nattiq kinguvvirunnaqtat asianut niqimut suurlu tuktu, immuksiugaq, aqiggiujaq, kuukuusiluunniit.

Mamaqsigiakkanniqtillugu uusimajunik sesame piruqsiaksanik uujaujarniglu itiujarnik qaangagut illirilugu.

TIMIMUT PIUJJUTINGIT

Nattip niqinga uqsuqaluanngittuq. 2%-mik uqsuqaqtigijuq niqit niuviat 12-mit 27%-mut uqsuqaqtigitillugit. Nattip uqsunga omega 3 uqsuqaqtuq piullunilu uummatittinnut taqattinnullu.

NUNA

Qaujimaniq angunasungnirmik ningirnirmiglu piujualuk Nirjutit, mannit, airat, uqaujat, paurngat: piujjutiqaqtuinnammarialuit, piluaqtumik angutausimajut ningiqtausimajullu angunasungnautillugu. Taakkua ilaksat piuniqpaujut pijunnaqtarnik—uumajut, suqusiqtausimanngittut, akiqaratiglu!

Nunami, niqi nirijauvaktut surraktaunatik, mikigaullutik, quangullutik, uujuullutigluunniit, mamaqtummariullutiglu. Niqiliurvingmi tamakkua niqit sanajauttiarunnaqtut ajjigiinngittunik ilaksaqarlutik mamaqsikkannirniarmata. Niqit kinguvvigaksaungmijut, suurlu tuktu kinguvvirlugu umingmangmut ualinirmiunut, uvvaluunniit immuksiugarmut inuit niqinginni atuinnaqanngippat. Iliqqusiujut ilinniattiarlugit aullaqsimatillusi amma angirrami niqiliurvingmi qanutuinnaq uuktuqpaglutit.

TUKTU STROGANOFF

Niqiliuqtuq Kanadaise Uyarasuk

Akuniuninga: 15 min
Uuttininga: 30 min

Niqtirunnaqtuq 6-nik

Ulaasiamiuninngaaqsimalluni niqiliarijauvalauqtuq immuksiugat niqiinnut, itiujarnut, atungaujarnut, sour cream-mullu. Tuattuutauniqsaugiarlugit niqit.

---

700 g (1½ lbs-paluk) aggurlugit tuattuutaulutik
¼ aluutiralaaq tariuq
¼ aluutiralaaq papa
¼ aluutiralaaq garlic powder
2 aluutirjuaq palaugaaq paniqtuq
2 aluutirjuaq uqsuksaq
1 itiujaq, saattuutauliqsimalugit agguqtatit
1 250 g puuqsimajut atungaujat agguqsimajut
1 qattaarjuk (284 ml) immuksiugarmut qajuksaq
1 qattaarjuk (284 ml) qajuksaq atungajuannguat
1 irngusiq sour cream
1 aluutirjuaq parsley, paniqsimaluni nutaukpalluunniit agguqsimaluni

---

MALIGAKSAT

Mamaqsausirlugu tariurmut papamut galic powder-mullu.

Niqi palaugaarmitirlugu. Tamarmik palaugaamitittiariarlugit.

Uunaqsitippagiirlugu sirattivik 1 aluutirjuarmut uqsurmut uunalaanganiillugu. Siraglugit naukkulimaaq. Sanirvaglugu.

Ilalugu 1 aluutirjuaq uqsuksaq itiujarnut atungaujarnullu. Uuttilugu

itiujat atungaujannguallu tauttungit ajjigijunniiqpait. Niqi siraijjutimuakkannirlugu.

Immuksiugarmut qajuksaq amma qajuksaq atunganmguat ilalugit. Matusimalugu igalugu 15 min-nik uuttijat kiniqsittiarilugu.

Ilalugu sour cream uuttilikkannirlugulu, ilalugu parsley-mik qaangagut.

IKAJUUTIT

Inaluujanut alaasimulluunniit ilalugu.

SIIPILIRIJIP PAINGA

Niqiliuqtuq Kanadaise Uyarasuk

Akuniuninga: 30 min
Uuttininga: 50 min

Niqtirunnaqtuq 6-nik

Qaujimanngilagut nakinngaarmangaat taijauninga siipilirijip painga. Qallunaanut amiakkuviniqtuutauvaktuviniq niqi qaaliqtugu pattaittunik aqiluqsiliarisimajunik. Uqaqsimavugut Uiviit kanatami katittisimaninginik nunaqaqqaaqsimajut niqinginnik katittillutik uqsunik paniqtuniglu niqinik ilasilauqpakkutik piruqtuvinirnik corn-nigluunniit. Ukpirinngikkaluarungni, uvva tavva Uiviininngaaqsimallariktuq ikiarmigiit: niqi, corn, pattaittut.

AQILUQSISIMAJUT PATTAITTUT

6 akunnaaqijut pattaittut (russet uvvaluunniit Yukon gold piuniqpaujuq aqiluqsiniarlugit.
½ irngusiq immuk
4 aluutirjuaq immuujaaqtuq immuujaaqtuujaaqturluunniit
½ aluutiralaaq tariuq
⅛ aluutiralaaq papa

NIQI

700 g (1½ lbs-kasak) siqalisimajuq tuktup niqaa
1 itiujaq, agguqsimalugu
1 aluutirjuaq uqsuksaq
1 aluutiralaaq Worcestershire sauce
1 aluutirjuaq Montréal steak spice

CORN

1 qattaarjuk (398 ml) corn kiniqtuq
2 irngusiik corn agguqsimajut quangullutik

MALIGAKSAT

Pattaittut irmittiarlugit piruqtullu piijarlugit. Irrurlugit pattaittut niglinaqtumut imarmut.

Aggurlugit tisamaulirlugit (agguqtatit ajjigiittiaqtigiarlugit uuttittiaqtuinnauniarmata).

Ukkusingmi pattaittut imarmuarlugit. Qalaaliqtillugu uunalaangagut. Qalaaqtillugit pattaittut aqiglitillugit kapijaksaulirlutik kakiangmut 20 min-palungnut. Imanga kuvilugu kuvivvingmut.

Pattaittut ukkusingmuakkannirlugit ilakautigilugillu ilajaksat. Aqiluqsilugit pattaittut aqiluqsijjutimut uajamuuqtumulluunniit inguttijjutimut. Immungmik ilakkaniriaqaqpat ilakkannirlugu. Ingulaluanngillugu pattaittut nipittalituinnariaqarmat.

Uunaqsitippagiirlugu igaup ilua 400°F-mut.

Uunaqsitillugu uqsuq siragutimut uunarninga akunnianiilluni. Itiujaq uullugu.

Ilalugu tuktu niqi amma mamaqsaut Worcestershire sauce. Uuqqiglugu. Ilalugu mamaqsautimik Montréal steak spice. Uqsuqaluaqpat uqsuijarlugu.

Igaup iluagut uuttijjutimut 9 in-mut qaliriiliqtillugit. Niqi ataaniitillugu, ilalirlugu corn qaanganuarlugulu pattaittut aqiluqsi.

Uuttilugu igaup iluani 30 min-nut amma igaup iluani qulaanit sirallugu pattaittut siranniarmata.

ASIJJIGAKSAT

Qaangagut peprika-mik illirijunnaqtat

Qattaarjungmiiittunik corn-nik aturunnarmijutit quanik atunngikuvit, imaijariaksanga puiguqtaililugu.

TUKTU RAMEN QAJUQ

Niqiliuqtuq Lucy Kappianaq

Akuniuninga: 10 min
Uuttininga: 5 min

Niqtirunnaqtuq 4-nik

Taanna qajuliukauqtugaksaq sanakauqtugaksaujuq kisutuinnarniglu ilajumajarnik ilajunnaqtugu. Aullaaqsimatillutit qajuksanga ilajunnaqtat niqinut manningmulluunniit nukkikkanniutiginiarlugu!

QAJUKSAQ

8 irngusit imaq
2 garlic aggua, agguttiaqsimaluni
4 aluutirjuaq soy sauce
1 aluutiralaaq ginger powder uvvaluunniit ½ aluutiralaaq ginger, siqallisaaqsimaluni.
4 puuksat (atuni 100 g) qajuliukauqtugaksaq ilaliutisimajuq immuksiugarmut qajuksaq

QAANGANUAGAKSAT

2 manniik
450 g (1 lb-kasak) tuktu niqaa saattunut agguqsimajut
½ irngusiq atungaujat saattuutaullutik agguqsimajut
½ irngusiq quaqsimajut pea

MALIGAKSAT

Manniik imarmi qalaaqtillugik ukkusiralarmut. Niglittiarilugik, qaangijarlugik aviglugiglu tukimut. Sanirvaglugu.

Ukkusingmut katillugit imaq, garlic, soy sauce, ginger, sukaq, amma immuksiugarmut qajuksaq ilaliutisimajuq qajuliukauqtugaksamut. Qalaaliqtilaurlugu qamigiarlugu uuttilugu.

Uuttilugit tuktu atungaujallu qajunganni 2 min-nut.

Ilalugit inaluujannguat amma quat pea uuttikkannirlugu 2 min-nut inaluujannguat aqililutik nipinngajunniirlutiglu.

Tisamanut alugvinut naammaktuq.

Atuni alugvit manniup avvanganik illirilugit.

ASIJJIGAKSAT

Kinguvvirunnaqtat tuktup niqaa uusimajunut agguqsimajunullu aqiggiujarnut qatigangannik uvvaluunniit uusimajunik kingukpanik.

Ilasijunnaqtutit carrot siqalinginnik, nutaanik spinach, uujaujat itiujat uvvaluunniit bok choy.

Ilaarjuglugu sesame uqsunganik uvvaluunnit lime issinganik mamaqsitigiarlugu niqtiqsinginnirni.

TULIMAAT

Niqiliuqtuq Kanadaise Uyarasuk

Akuniuninga: 10 min
Uuttininga: Ikarraak marruuk

Niqtirunnaqtuq 6-nik

Nirivigjuaqtuqsiut! Tulimaat uujuliarijauqqaaqpangmata aqiglijukuluujunnaqtut. Amiakkunga papataujunnaqtuq asinginnut atuqtauniarluni, uvvaluunnit quaqtillugu kingullirmut tulimaaqturnialirmiguvit.

---

2 Marruuk igamuagaksaak (2–3 kg uvvaluunniit 4–6 lb) tuktup tulimaangit

MINGUAKSAQ

1 aluutirjuaq Worcestershire sauce
¾ irngusiq imaq
½ irngusiq kajuq sukaq
1 aluutiralaaq tariuq
¼ aluutiralaaq papa
¼ aluutiralaaq oregano
1 aluutirjuaq agguttiaqsimajuq itiujaq
¼ irngusiq vinegar
½ irngusiq uujuqtuut
1 aluutirjuaq cornstarch kiniqsaut

MALIGAKSAT

Tulimaat angijuutaulutik immikkuurlugilluunniit aggurlugit.

Angijumut ukkusingmut matusimajumut niqi qalaaqtumiiliqtillugu. Qamigiarlugu uuttilugulu ikarralimaarmut. Imanga kuvilugu sanirvaglugulu.

Uunaqsitippagiirlugu igaup ilua 350°F-mut.

Ingutainnarilugit minguaksat ilaksalimaat.

Tulimaat uuttijjutimuarlugit minguarlugillu minguaksamut.

Uuttilugu ikarralimaarmut.

TIMIMUT PIUJJUTINGIT

Tuktu nukkisautiqaqtuq zinc-qaqtunilu. Ammalu aungmut atuutiqarniqsaulluni iron immuksiugarnik, kuukuusinik, aqiggiujarnigluunniit.

TUKTU TOURNEDOS BITES

Niqiliuqtuq Isa Kipsigak

Akuniuninga: 10 min
Uuttininga: 15 min

16-nik tamuallualiuqtuq

Taanna tamulugaksattiavauvuq. Tuktup niqaata aqinninginnit uliutinginnillu aturlutit. Uuttiniq qilammiuniarmat, niqit aqinniqsat piuniqsauvut. Uuttivagiiqsimalugit bacon tuktup niqaa uuttiliqpat uuttiaqatigiingniaqtuuk.

½ irngusiq barbecue mamaqsaut
⅓ bacon
450 g (1 lb-kasak) nutaaq mannguksimajurluunniit tuktu niqaa
Kukkingiijautit

MALIGAKSAT

Uunaqsitippagiirlugu igaup ilua 450°F-mut.

Atuni bacon aggurlugit pingasuulirlutik.

Sirattijjutimut uunaqsikauqturvingmulluunniit sirallugit bacon uuluanngillugit (niqimut imujunnariaqarniaqtuq).

Tuktu niqaa aggurlugu tamualluangulutik (1 in) aksalittiarlugu barbecue mamaqsautimut.

Atuni niqit imulugit bacon-mut kukkingiijautimut attungirlugit.

Iliuqqarlugit saniliriiglutik igajjutimut. Igalugit 10 min-nut aiparujungniarluni uuttikkannirlugu uuqqiksiquguvigit.

Nirijaukautigilutik.

IKAJUUTIT

Uuttijunnarmijatit sirattijjutimut. Maliglugit maligialit 2-mit 5-mut, sirallugit uunarninga avvangata ungataaniarjuk. Mumikpaglugu uuttiarniarmat.

ASIJJIGAKSAT

Kinguvvirunnaqtat barbecue mamarijarnut mamaqsautimut, suurlu Montréal steak mamaqsaut, uvvaluunniit tariurmut papamullu mustard-qarlugu.

IGAUP ILUANI UUSIMAJUQ

Niqiliuqtuq Kanadaise Uyarasuk

Akuniuninga: 10 min
Uuttininga: Ikarralimaakasak

Niqtirunnaqtuq 6-nik

Tuktumik igaup iluani uuttiluni pigganannglittuq mamaqtuni timimullu ilagiilimaanut piulluni. Angutavinit piuniqsammariungmata immuksiugat niqinginnik niuviaksauvaktunik. Niqtirunnaqtat ilasimalugu piruqtuvinirnik uuttisimajunik.

IGAUP ILUANI UUSIMAJUQ

1½ kg (3 lb-paluk) tuktup miminga
½ aluutiralaaq tariuq
¼ aluutiralaaq papa
½ aluutiralaaq garlic powder
1 aluutirjuaq uqsuksaq uvvaluunniit tunnuq
2 itiujaak,agguqsimajuuk
2 carrot, agguqsimajuuk
2 celery, agguqsimajuuk

MINGUAKSAQ

1 tsp cornstarch kiniqsaut
1 irngusiq immuksiugarmut qajuksaq
Tariuq papalu mamaqsautit

MALIGAKSAT—IGAUP ILUANI UUSIMAJUQ

Uunaqsitippagiirlugu igaup ilua 400°F-mut.

Niqi illirilugu tariurmik papamik garlic powder-miglu.

Angijumut igaup iluanut uuttijjutigijunnaqtamut, akunniata ungataanut uunaqsitillugu, uunaqsitillugu uqsuksaq uvvaluunniit tunnuq. Mimiq mumikpaglugu kajuqsitillugu. Sanirvaglugu.

Taassumungassainnaq sirattijjutimut, uullugit piruqtuviniit 2 min-nut. Uqsulikkanniarjuglugu ilajariaqaqpat. Niqi qaanganuarlugu.

Uuttilugu ikarralimaarmut niqinga uullugu mamarijarnut (unani titiraqsimajuq takulugu). Uuttivvinga qitiqpaqpat piruqtuviniit paniqquujikpata immikkanniarjuglugu uuluarnianngimmata.

Niqi uuppat piruqtuvinillu saamuarlugit. Uliksimalaukaglugu qilliqtumut 10 min-nut.

MALIGAKSAT—MINGUAKSAT

Niqi niglittirningani minguaksaliulirlutit. Ingularlugit kiniqsaut ammalu immuksiugarmut qajuksaq niglinaqtumut.

Ilalugu kiniqsaut qajuksarlu ingulaqsimajuq uujuliurutigijarnut uuttilugulu igaup qaangani akunniani uunarniqarluni. Qijungmut aluutimut ataa kiliuqtuqpaglugu niqaa kajuqsisimajuq piruqtuvinirnut ilaliutiniarmat. Tavva mamaqsijjutauvut.

Qalaaliqtillugu, mamaqsausirlugulu mamarijarnik. Qajulikkannirlugu kiniqsiluaqpat minguagaksaq.

QAUJIMAGIT

Niqiup iluata qitiani 54°C-ngujuq aipaujaqpuq. Kanataup gavamanga uqaqsimavuq tuktup niqaanik uuttiqattaqujillutik 74°C (165°F)-mut, uuqqiglugu, aannialiqunatit.

IKAJUUTIT

Niglittilaukaglugu mimiq niqi issiqainnarniqsauniaqtuq. Niqiliuraaniktillugu issingit issaaqijariaqaliqsimavaktut. Niglittirlugu niqi issiqainnarniaqtuq. Uutaq: mamaqtummarialuk mimiq!

TUKTU CHILI

Niqiliuqtuq Lucy Kappianaq

Akuniuninga: 25 min
Uuttininga: 45 min

Niqtiqsijuq 8-nut

Nirijaksattiavak ilaqaqtittunnaqtat palaugaarmik, alaasimik, patiitinik, uvvaluunniit ikiarmiulugu usuujanut palaugaarmut. Mamarniqsaummariktuq ilaarjuksimakpat sour cream, siqalisimajurmik siisimik, lime issinganik, nutaaniglu mamaqsautinik pitaqaqpat! Taanna uqarmut uunnaqtuqanngittuq, kisiani mamariguvigit, ilalugu chili flakes-nik.

---

1 aluutirjuaq uqsuksaq
2 garlic aggua, agguttiarjuarlugit
1 itiujaq, agguqsimalugu
900 g (2 lb-paluk) tuktu niqaa siqalisimajuq
2 carrot, agguqsimajuq
1 aupaqtuq pepper, agguqsimajuq
2 qattaarjut (2 x 796 ml) agguqsimajut tumaitut
4 aluutirjuaq tomato paste
3 aluutirjuaq chili powder mamaqsaut
1 aluutirjuaq Italian mamaqsaut
Tariuq papalu mamaqsautit
1 irngusiq quaqsimajut corn
2 qattaarjuk (2 x 398 ml) nilirnat, kuvisimalutik irruqsimalutiglu

---

MALIGAKSAT

Ukkusigjuarmut uqsuq uunaqsitillugu uullugit garlic amma itiujat uunarninga akunnianiilluni aqiglitillugit.

Ilalugu tuktu niqi kajuqsitillugu uullugu. Uqsuqaqpat kuvilugu.

Ilalugit carrots, pepper, diced tomatoes, tomato paste, mamaqsautillu, tariuq papalu.

Qalaaliqtillugu, matulugu qamigiarlugu uuttilugulu 30 min-nut. Ingulaqpaglugu.

Ilalugit corn amma nilirnat. Uuttikkannirlugu 10 min-nut.

ASIJJIGAKSAT

Atausirmik qattaarjungmik corn-nik atungaarunnaqtutit.

Nutaat piruqtuvinit kinguvvirunnaqtatit 2 1/2 irngusiq quaqsimajunik piruqtuvinirnik ajjigiinngittunik ilulilingnik.

TUKTU AGGUALAQISAAQ

Niqiliuqtuq Kanadaise Uyarasuk

Akuniuninga: 25 min
Uuttininga: 3 h 15 min

Niqtiqsijuq 8-nut

Piuniqpauvuq niritittijariaksaq amisunik inungnik atauttikkut. Aggualaqisaaliurniq akuniungmat niqi sukkaittumik uuttivallialluni aqiluqsivalliajunnaqtuq. Taanna piujuq qanuittutuinnarnut niqinut, piuluajjuaqtutik tisiniqsanut suurlu qungasinginni aarianginnilu.

---

1 kg (2 lb-kasak) tuktup niqaa, nutaugaluaqpat quangugaluaqpat, angijuutaulutik.
1 aluutirjuaq tunnuq asialuunniit uqsuq
1 itiujaq, agguqsimalugu
¼ irngusiq tomato paste
1 aluutirjuaq palaugaaq paniqtuq
6 mikittut pattaittut agguqsimalugit
3 carrot, agguqsimajut
3 celery, agguqsimalugit
2 immuksiugarmut qajuksaak kippaariktuuk
4 to 5 cups irngusiq imaq
1 aluutirjuaq Italian mamaqsaut
1 aluutiralaaq garlic powder
2 paniqsimajuuk uqaujarjuak
Tariuq papalu mamaqsautit

MALIGAKSAT

Uunaqsitippagiirlugu igaup ilua 325°F-mut.

Angijumut igaup iluanut igajjutigijunnaqtarnut ukkusingmut uunarninga akunniata ungataarjuaniilluni uuttilugit niqit tunnurmut uusimaningit kajuqsitillugit. Sanirvaglugu.

Taassumungassainnaq uullugit itiujat aqiglitillugit. Ilalugit tumaatu palaugaarlu uuttilugit 1 min-mut (uimmaktailigit nipittaqpata).

Ilalugit amiakkut ilaksat niqilu ukkusingmuakkannirlugu. Immikkannirlugu immikkanniriaqaqpat matulugu qalaaliqtinniarmat mamaqsittiarniaqullugu. Matulugu uuttilugu igaup iluani ikarranut 3-nut.

ASIJJIGAKSAT

Niqit aqittut uuttikauqturniqsaujunnaqtut. Uuttilugu aggualaqisaaq igaup qaangagut uunaluanngittumi piruqtuvinit aqiglitillugit, 25 min-kasak.

Turnip, parsnip, sweet potatoes, pea ilajaksattiavaujunnaqtut aggualaqisaaliarnut.

Immuksiugarmut qajuksarmik mamaqsautiniglu ilasinngingaarlutit ilasingaarunnaqtutit qajuksannarijavit ilaksanginnik.

IKAJUUTIT

Niqi siralaukakpat mamarjaukkannirniaqtuq. Siranninga taijaq Maillard surrangninganik, niqiup tipinginnik saqqittilluni ammalu qakkinnaarjuktutik qaqquagaqsunnittutiglu. Tamanna pijariatunngittuugaluaq kisiani pigungni piuginiaqtat!

QUNGULIQ SIIRNAQTUT

Niqiliuqtuq Reena Qulitalik

Akuniuninga: 15 min *Niqtirunnaqtuq 4-nik*

Taanna siirnaqtuq qakkinnarniqagalaaktuni. Qungulit nanituinnaarmata, Nunavulimaami, piluaqtumik tingmianut irniurviusuuni aglaaqai silatissinni. Tipingit ajjigiikpanngittut sila qanuinninga maliglugu, uqaujangit uujaujat siirnarniqsaujut aupaqtunit. Avvuriattiaqsimaniaqputit!

---

1 irngusiq qungulit
2 irngusiq siirnaqtut (strawberries, blueberries, grapes, uvvaluunniit kiwi agguqsimajut)
½ irngusiq yogurt, mamarilaarnik

MALIGAKSAT

Siirnaqtut aggurlugit mikittuutaulutik.

Ingularlugit siirnaqtut yogurt-mut inguttivingmut.

Irrurlugit masaujunniiqtillugillu qungulit.

Qungulit ingularlugit siirnaqtunut.

TIMIMUT PIUJJUTINGIT

Qunguliit vitamin C-qarmata, atuqtauvalauqsimajut ikkirluliqtailijjutaullutik augluliqtailijjutaullutiglu. Taimaimmat qungulirnik niriluaqtailijariaqaqpugut timimut piunngittuqarninginnut (oxalate) niqittiavanik timingnuarajaqtunik nuqqaqtittijunnarmata.

SIIRNAQTUQ TARIULIK PIRUQTUVINIT

Niqiliuqtuq Lucy Kappianaq

Akuniuninga: 15 min
Uuttininga: 5 min

Niqtirunnaqtuq 4-nik

Siirnaqtuni, qaqquangulluni, qakkinnagalaktuq ilasimalluni qungulirnik. Ilasijunnarmijutit piruqsiattiavakulungnik. Piruqtuvinirnik taanna ajjiqanngilaq. Aujaqsiutit mamatakpakkit!

PIRUQTUVINIT

4 irngusiq qungulit
¼ irngusiq paniqsimajut kingmingnat
½ irngusiq pecans qaqquagat
¼ irngusiq apple, agguqsimajuq
¼ irngusiq feta siisi, siqalisimajuq

BALSAMIC MAMAQSAUT

¼ irngusiq olive uqsuq
¼ irngusiq balsamic vinegar
Tariuq papalu mamaqsautit

MALIGAKSAT

Irrurlugit masaujunniiqtillugillu qungulit.

Inguttivingmi angijumi ingularlugit qungulit, kingmingnat, pecan, apple, amma feta siisi.

Asiani inguttivingmi, ingularlugit olive uqsuq amma balsamic vinegar tariulirlugu papalirlugulu mamarijarnut.

Mamaqsautaa piruqtunut kuvilugu ingularlugit.

ASIJJIGAKSAT

Kinguvvirunnaqtatit qungulit asinginnut piruqtuvinirnut amma balsamic mamaqsaut asianut mamarijarnut, suurlu raspberry poppy seed.

IKAJUUTIT

Uqsuqanngittumut uuttilugit qaqquagat mamaqsikkannirunnaqtut qaqquanguniqsaulirlutiglu. Tavvani pecan uqsuqanngittumut uuttijunnaqtatit igaralaarmut uunarninga akunnaaqiluni (uqsuqanngillugu), 5 min-palungnut uvvalunniit uulirninga tipiqaliqpat! Niglittiarilugu nirijaunnginningani.

KINGMINGNAT PALAUGAAT SAATTUUJAT

Niqiliuqtuq Lucy Kappianaq

Akuniuninga: 10 min
Uttininga: 25 min

12-nik palaugaanik saattuujaliurniaqtuq

Palaugaat saattuujat yogurt-mik, siirnaqtunik, maple syrup-miglu unniit ilalugit. Taakkua mamaqsautaukkannirniaqtut.

2½ irngusiq palaugaaq
2 aluutirjuaq sukaq
2 aluutirjuaq puvallaqqut
1 aluutiralaaq tariuq
2 manniik
2 irngusiik immuk
2 aluutirjuaq auksimajuq immuujaaqtuq
1 aluutiralaaq vanilla
1 irngusiq nutaat qualluunniit kingmingnat

MALIGAKSAT

Angijumut inguttivingmut, katillugit ilaksat: palaugaaq, sukaq, puvallaqqut, tariuq.

Asianut inguttivingmut katillugit kiniqtut ilaksat: manniik, immuujaaqtuq, vanilla.

Kiniqtut ilavallialugit paniqtumut.

Ilalugit kingmingnat ingulattiarlugu.

Sirattijjut uqsuqtirlugu uqsurmut immuujaaqtumulluunniit uunaqsitippagiirlugu akunninganut.

Kuvilugu (1/4 irngusipalungmik) sirattivingmut uuttilugu qaanga tiqtiliqsiarilugu. Mumiktillugu uuttingmilugu kajunnguqsiarilugu. Taimailiurlutit ingusimajuq nungullugu.

ASIJJIGAKSAT

Kinguvvirunnaqtatit kingmingnat kigutangirnanut, nutaanut quanulluunniit.

IKAJUUTIT

Ingulaluanngillugu tisiktiluatuinnariaqarmat.

Tuavinngikkuvit ingutat sanirvaksimalaukaglugu 30 min-nut. Palaugaaq kiniqtunik issautiniaqtuq, palaugaaq saattujaliallu puvallarniqsauluni mamarniqsaulunilu.

TIMIMUT PIUJJUTINGIT

Kingmingnat vitamin C-qaqtut ilaqaqtutiglu aannialijjaikkutaujunnaqtunik suurlu piruliqpaktut aanniat (cancer).

KIGUTANGIRNAT GRUNT

Niqiliuqtuq Lucy Kappianaq

Akuniuninga: 10 min
Uuttininga: 20 min

Niqtiqsijuq 8-nut

Taanna sanajaurngalauqsimajuq Atlantic nunanginni, grunt-mik taijaujuq taimanna nipiqaqpangmata kigutangirnait qalaaqtitautillugit. Taijaksaugaluaqtuni pujuuqsimajumut alugaksaq. Uuttigarniqtuq igaup qaangagut supuujuurmulluunniit aullaaqsimatillusi, nunivaktausaarnikunut kigutangirnanut.

KIGUTANGIRNANUT MAMAQSAUT

4 irngusiq kigutangirnat (avvusaarnikut qualluunniit)
½ irngusiq sukaq
½ irngusiq imaq
½ aluutiralaaq lemon issinga

UUGIKALLAT

2 irngusiq palaugaaq
1 aluutirjuaq sukaq
2 aluutiralaak puttuqsaut
½ aluutiralaaq tariuq
2 aluutirjuaq immuujaaqtuq
1 irngusiq immuk

MALIGAKSAT

Sirattijjutirjuarmut, katillugit kigutangirnat, sukaq, imaq amma lemon issinga. Qalaaliqtilaurlugu qamigiarlugu uuttilirlugu.

Inguttijjutimut, katillugit palaugaaq, sukaq, puttuqsaut, amma tariuq.

Ilalugu immuujaaqtuq, siqalilugu palaugaarmut aturlutit kakiangmik. Ingularlugu qattigalaagluni.

Ilalugu immuk ingulaqtat kiniqsitillugu.

Ingutat aluutimut kigutangirnanut uuttijunut iliuqqarlugit.

Matulugu uuttitillugu 15 min-nut. Matuiqtaililugu.

Uugikallat piijarlugit ilalugu uunaqtunik paurngarnik.

IKAJUUTIT

Uuttunnarmijat igaup iluagut uugikallat tisiktiquguvigit. Uunaqsitippagiirlugu igaup ilua 425°F.-mut. Maliglugit maligaksat 1-mit 5-mut. Uuttilirlugit igaup iluagut (igaup iluanut uuttijjutigijunnarlugu sirattijjut) 10 min-nut matusimalugu qilliqtumut, matuirlugu 5 min-nut uuttikkannirlugu kajuqsitillugit. Nirilugu qaalirlugu kiniqtuq immuk ingulaqsimajumut aisikuliirmulluunniit.

PALAUGAAT

Kisu piuniqsauva angirrami palaugaaq uusaaqsimasunnitillugu? Immaqaa sirappalliavalattininga uuppalliatillugu? Taakkua palaugaaliurutit sivuvaattinninngaaqtut uuktuutingit aggamuinnauvalauqsimallutik, titiraqtauniq ajurnarmat kisiani ilinniaqtittijjutaulutik. Qullirmuttauq palaugaaliangusimajut taimaikkivut, sukkaittumik uuttivalliangujaqtutik. Ilittittiarnarniqpauvuq qunngiarluni. Nangminirlu uukturasugunnaqsilutit, ikpingnarninga naammaksikpat qaujimalugu, tukisilugulu palaugaaliurniq. Maannaqai uukturunnaqsivit?

NINGIUQ AJAQQUP PALAUGAANGA

Niqiliuqtuq Micah Arreak

Akuniuninga: 25 min + 2 1/2 ikarrat puvallaqsiarilugu
Uuttininga: 1 hr
Marruungnik niaqaujaliurniaqtuq

Taanna Micah Arreak-mut makkukturalaangutillugu tunijaulauqsimajuq ningiunganit Ajaqqummit, taimannganit sanaqattaqsimajanga. Uuktuutit miksausiqsimajangit.

---

2 aluutirjuaq + ½ irngusiq sukaq aviksimalutik
1 irngusiq + 2 irngusiq uunajuktuq imaq, aviksimalutik
2 aluutirjuaq niaqaujarmut puvallaqqut
Tariuq
⅓ irngusiq uqsuq
1 ingulaqsimajuq mannik
¾ irngusiq immuk
2½ kg (5½ lb-paluk) palaugaaq
2 aluutirjuaq immuujaaqtuq, aqiglisimaluni

MALIGAKSAT

2 aluutirjuak sukaq 1 irngusiq uunajuktumut imarmuarlugu. Ilalugu 2 aluutirjuak niaqaujarmut puvallaqqutimik ingularlugu. Sanirvaglugu puttuqsiarilugu 10 min.

Angijumi inguttivingmi, 1/2 irngusiq sukaq amma tariuq 2 irngusiq uunajuktumut imarmuarlugit. Ilalugu 1/3 irngusiq uqsuq, 1 ingulaqsimajuq mannik, 3/4 irngusiq immuk, ammalu niaqaujarmut puvallaqqut. Ingulattiarlugu.

Qaangagut palaugaarmik ilavaglugu. Aturiaqarniaqtutit 2 1/2 kg-nik. Naqitirlugu aggangnut, 30-ngiqsupaluglugu nirumiksitillugu. Ilaarjuglugu immungmik paniluaqpat uvvaluunniit palaugaarmik imaqaluaqpat.

Inguttivik uqsumut minguarlugu naqitiqsimajat aqsaujaarlugu ililugu. Qaanga uqsumitirlugu puvallaqsiarilugu ikarralimaaq avvarlu uunajuktumiitillugu. Angiglininga marruingulilluaqtuq.

Naqillugu pullaiqtillugu. Naqitikkannirlugu 10-ngiqsupaluglugu.

Aviglugu marruulirlutik niaqaujaksaak. Uqsuqtiqsimajumut niaqaujaliurutimuarlugik.

Qaanga uqsuqtirlugu puvallaqsiarikkannirlugu ikarralimaarmut.

Uunaqsitippagiirlugu igaup ilua 350°F-mut.

Uuttilugik ikarralimaarmut uvvaluunniit qaanga kajunnguqpat.

Saniralimaangit qaangalu immuujaaqtumut minguarlugit. Niglittiarittiarlugu nirijaunnginningani.

QAUJIMAGIT

Puvallaqqut uumangmat atuutiqarunniiqpalliajunnaqtuni. Piujunnikauqturniqsaujunnaqtuq saqqijaaqtillugu, masakpat, uqquujumiippalluunniit. Matuiqtausimajut paniqtut puvallaqqutit tuqquqsimajunnaqtut matuttiaqsimalutik quakkuvingmiillutik taqqinut 6-nut matuiqtaulauqtillugu. Qaujimagit puvallaqqut atulilaunnginningani niglinarunniiqtiqqaarialik. Puvallaqqut piujuq pullaujiraalirniaqpuq tipiqalirlunilu 10 min aniguqpata uunajuktumi imarmi (pigiarutinga).

IKAJUUTIT

Niaqaujaralaaliurumaguvit mikittunik aqsaralaaliurlutit uuttivvingmut saniliriit pingasuuttarlugit, uuttilugillu 35 min-palungnut.

Ilasijunnaqtutit mannikkannirmik qakuqtunganik (quqsurninga piirlugu) puvallaqsimakkanniqugungni aqinniqsauqugungnilu.

Puvallarasungningani, uunajuktumiitillugu suvirniqanngittumi. Igaup iluani (ikumatillugu) uvvaluunniit niglinaqtukkuviup qaangani piuttiaqtuq.

IGAUP ILUAGUT PALAUGAALIANGUSIMAJUQ

Niqiliuqtuq Kanadaise Uyarasuk

Akuniuninga: 10 min
Uuttininga: 50-mit 55 min-nut

Atausirmik palaugaaliuqtuq

Saqqitauqqaaqsimallutik Sikkaattinut, palaugaat nanituinnaq nunaqaqqaaqsimajunut sanajauvaliqtuq Amialikkani. Pijarniqtuni, timimut piujjutiqaqtuni, surukauqturunnanngittunilu. Palaugaaliuttiarniarluni kamagittiariaqaqtuq aggamut. Ingulaluarlugu nipittalirniaqtuq, taimailiqpallu palaugaaq tisiniqsauniaqtuq.

---

5 irngusiq palaugaaq
3 aluutirjuaq puvallaqqut
¾ irngusiq uqsuq
2 irngusiik immuk

MALIGAKSAT

Uunaqsitippagiirlugu igaup ilua 350°F-mut.

Inguttivigjuarmut ingullugit palaugaaq puvallaqqullu.

Kiniqtut ilalugit aggangnullu ingularlugu aksurunngillugu. Ingullugu nirumiksitillugu.

Aqsaqtut angmaluqsitillugu. 8 in-mut kiikliurutimut ililugu.

Uuttilugu 50-mit 55 min-nut.

ASIJJIGAKSAT

Palaugaaliurniarlutit taijarmik "angunasuktinut palaugaaq," ilasijunnaqtutit 1 uvvaluunniit 2 manningnik kiniqtut ilaliruvigit. Nukkigutiksaqakkannirniaqtuq. Ilasijunnarmijutit paniqtunik siirnaqtunik, suurlu paurngarnik paniqtunik.

IKAJUUTIT

Ingutat aggangnut nipittaqpat palaugaarmik ilakkannirlugu.

Palaugaarmik panirujjiliruvit, aggurlugit saattuutaulugit qaanga uqsulirlugu, tariulirlugu, paniqsirlugulu igaup iluani 350°F-mi 15 min-nut kajuqsiarilugu. Palaugaaviniit sivalaannguqtittunnaqtatit!

INGULAGAQ

Niqiliuqtuq Micah Arreak

Akuniuninga: 10 min
Uttininga: 15 min

16-nik tamualluanik sanajuq.

Uqsumut uusimajut palaugaat mamaqtut aullaqsimalluni. Palaugaat jaamlirlugu tiiturlutillu; mamarniqpauqataujut taimaak.

---

4 irngusit uqsuq, naammagiarlugu uuttijjutiksaq
1 irngusiq palaugaaq
1 aluutiralaaq puvallaqqut
1 aluutirjuaq sukaq
¼ aluutiralaaq tariuq
1 irngusiq immuk

MALIGAKSAT

Uunaqsitippagiirlugu uqsuq 350°F-mut ukkusingmut uqsumuuqsijjutimulluunniit.

Inguttivigjuarmut, ilaksalimaat katillugit.

Immungmik ilavalliarajaarlugu. Ingularlugu tisigalaaktuqarunniqtillugu. Ingulaqtat kinirniaqtuq.

Aluutirjuarmut palaugaaq uqsumut uuttilugu. Atuni 3 min-nik uuttivaglugit, igluanut mumiktillugit. Palaugaaq naukkulimaaq kajunnguqpat naammaksivuq. Aluutimut angmajulingmut piiqpaglugit uqsurmit paippaaliqsimajumullu saamuarlugit.

Niglittiarilugit 5 min-nut.

ASIJJIGAKSAT

SIIRNAQSITILLUGU CINNAMON-MUT

Siirnaqsitillugu palaugaaq, 2 min aniguqpat uulauqtillugu aksaliglugu sukarmut cinnamon-liqsimajumut.

1/8 irngusiq sukaq

1/2 aluutiralaaq Cinnamon paniqtuq

IQALUT MAMAQSAUTILLU

Ilasijunnaqtutit siqalisimajumik uusimajumik iqalungmik amma mamaqsautinik ingutarnut.

IKAJUUTIT

Aullaaqsimaguvit immuk kinguvvirunnaqtat imarmut atuinnauniqsaungmat. Puuksarmut matulingmulluunniit paniqtut ilaksat ingullugit ilalugu 1 aluutirjuaq paniqtumik immungmik. Kingulliqpaangani ilasituinnarlutit 1 irngusiq imarmik ilaksanut.

Uqsuq uunanngiluaqtillugu palaugaarmut issautiniqsauniaqtuq, palaugaaq uqsuqarniqsaulirluni. Ammalu uqsuq uunaluaqtillugu pujuurlunilu piunngittuujunnaqtuq, aanniaqtaarnaqtuqalirlunilu. Uunarninga naammaktigiarlugu uunarniqsiurutimik aturlutit. Uqaqsimavut 350°F ungataanuuqujisimanatik ammalu niruarilugit uqsut uunaqsittiarunnarniqsat, suurlu coconut, peanut, uvvaluunniit canola uqsungit.

KINGUVVIUTIT

Ilaannikkut niuvirviliakauqturumanajannginnavit. Ilaannikkut niuvirvit nungurutisimavaktut. Ilaannikkullu kiinaujaqtunnginniqsaujunnaqtutit angirrami pitaqaaniktumik aturlutit. Ukua tavva kinguvviqsijjutaujunnaqtut.

QAKUQTAQ SUKAQ

1 irngusiq = 1 irngusiq, naqitiqsimajuq kajuq sukaq uvvaluunniit ¾ irngusiq honey

IMMUUJAAQTUQ (TARIUQANNGITTUQ)

1 irngusiq = 7/8 irngusiq piruqtuvinirnit uqsuq uvvaluunniit 7/8 irngusiq punnirniq uvvaluunniit 1 irngusiq applesauce (timimut piujut, igamut uutaksanutuaq)

KINIQSAUT

1 aluutirjuaq = 2 aluutirjuak palaugaaq (uuttiqqaariaqaqtat palaugaaq 1 min-mut tipiijarlugu)

KINIQTUT IMMUT

1 irngusiq = 1 irngusiq qattaarjungmit immuk uvvaluunniit ¾ irngusiq immuk ilalugu 1/3 irngusiq immuujaaqtumik

MANNIT

1 iluittuq = 3 aluutirjuat mayonnaise uvvaluunniit banana avvanga aqiluqsisimalugu ilalugu ½ aluutiralaaq puvallaqqutimik (igamut uutaksanutuaq)

ITIUJAQ

¼ irngusiq = 1 aluutiralaaq paniqtuq itiujaq

GARLIC AGGUNGA

1 agguq = 1/8 paniqtuq

UUJUQTUUT

1 irngusiq = 1 irngusiq tomato minguanga + 1 aluutiralaaq vinegar + 1 aluutirjuaq sukaq

MAYONNAISE

1 irngusiq = 1 irngusiq sour cream uvvaluunniit 1 irngusiq Greek yogurt (timimut piuniqsaq)

IMMUK

1 irngusiq = ½ irngusiq siirnaqsitisimanngittuq qattaarjungmit immuk + ½ imaq

VINEGAR

1 aluutiralaaq = 1 aluutiralaaq lemon uvvaluunniit lime issinga

WORCESTERSHIRE SAUCE

1 aluutiralaaq = 1 aluutirjuaq soy sauce + 1 kusiq Tabasco sauce + 1/8 aluutiralaaq lemon issinga

IKAJUQATAUSIMAJUT

MICAH ARREAK

Micah qaujisaqtiujuq tukiliurijiullunilu Inuit Qaujimajatuqanginnut ammalu Unikkaaqtausimajunik Nunavut Silattuqsarvingmi. Inuit iliqqusinginnik qaujimajanginniglu ilinniaqtaujariaqarninginnik kajusiinnarniarmata ukpirusummariktuq. Ningiunga Letia Ajaqqut Panikpakutsungmit ilittisimajuq quviagijaqammariktunilu niaqaujaliurnirmik ammalu inuit niqinginnik sananirmik, suurlu aluk sanajausimajuq tuktuup tunnuanit kigutangirnaniglu. Micah sivulivinirmininngaaqtunik qaujimajauqujimmariktuq ilinniaqtittivaktunilu inuit kajusitittiniarmata Inuit silatuninginnik katittilluni inuit iliqqusinginnik ammalu asingita iliqqusinginnik niqiliurnirmut inuusiqattiarnirmullu. Mamarilaarijanga tuktu, kisianittauq annaumajunnaqtuq igunainnarnut mikkunulluunniit, qasaarrarnut, pissinut, aujalisarnut niqittannangnullu.

ANNIE DÉSILETS

Annie 2008-mi Nunavummi Inuillu iliqqusinginnik piuksasigialauqsimavuq. Taimannganit niqiliuqtiusimaliqtuq timimullu piujunik niqilirijiulluni ilinniaqsimajaminik Institute of Tourism amma Hotellerie of Québec. Ukpirusuktuq angirrami niqiliangusimajut quviasugutaujunnarmata niriukpurlu taassumuuna ilisimajarminik inuillu niqinginnik katittijunnaqujilluni ammalu niqiliurunnaqsiqujilluni qanutuinnaq.

LUCY KAPPIANAQ

Lucy niqiliuqattalilauqsimajuq niviaqsiangulluni anaanani ikajuqtuniuk. Nangminiq ilinniaqsimajuq niqilirinirmik piugijaqaqtuni nanituinnaq nunarjuarmi niqilianguvaktunik. Nutaanik uukturumavaktut niqiliagaksanik nangminirlu qaujimajaminik ilasivaktuni.

GLENDA KRIPANIK

Glenda piruqsimajuq niriqattaqtuni mamaqsaqtunilu angirrami niqiliuqsimajunik. Nutaanik pilauqsimanngitaminik uukturumainnaqpaktuq. Taimanna Glenda nangminiq niqiliurasuqattaliqsimajuq. Mamariluaqtangit inuit niqingit, mamarilaangit maktaaq nattirlu.

KANADAISE UYARASUK

Kanadaise niqiliuqattaqsimaliqtuq ukiunut 32-nut nunaqqatiminullu qaujimajaummariktuni pailianginnut. Ilangit niqiliurutingit ilisimajangit niqiliuqtimmaringmit New York City-mit qangakallaarjuuliqtuq. 1999-mi Kanadaise, marruuglu arnaak niqiliulauqsimajut nirivigjuaqtittiniaqtillugit Iglulingmi Nunavutaarnirmut quviasuutiqarniaqtillugit.

ILISARIJAUJUT

Titiraqtuq Annie Désilets

Qujanaqput tisamat arnat Iglulingmit pigiaqtittilauqsimajut. Iglaqattalauqpugut uqamajattiaqattalauqpugut nirittiaqattaqtutalu. Qujannamiik qanutuinnaq uukturunnalaurassi qaujimajassinniglu tunisijunnalaurassi.

Qujannamiik Iglulingmiut taassuminga saqqittijunnalauratta niqiliurutiminiglu tunisijunnalaurmata: Susan Qaunaq, George Qattalik, Susan Avingaq, Cindy Paniaq, Moshi Kotierk, Sally Qaunaq, Reena Qulitalik, Jenny Ammaq, Isa Kipsigaq, amma Tracy Aqatsiaq.

Qujannamiik Neil Christopher Inhabit Media-kkunnit tamatuminga saqqittijunnaqsigatta, aaqqiksuijingillu, piluaqtumik Kathleen Keenan, aaqqiksuiji, uqaujjuittiaqpalaurmat.

Qujannamiik Stéphane Trottier piliriarilauqtanga ajjiliurijituinnaujunniilaurmat! Qujannamiirjuarlu Félix Pharand ajjiliurutittiavanganik aturunnalauratta!

Qujannamiik Artcirq ikajuqsuilaurassi inuuttiarasuarnirmut ammalu Inuit Iliqqusingit maanna atuqtauvaliqtunut ilaliutijunnarninganik, piluaqtumik Vanessa Kneale, Artcirq-kkut qanulimaaq pijunnaqtingat uqaujjuivalaurmat, aulattijiulluni, ikajuqattaqtunilu.

Qujannamiik Nunavut Gavamangatta Aanniaqarnanngittulirijjikkut Niqilirijingit ikajuqsuittialaurmata. Qaujimagit Nunavut Gavamanganni niqilirijiit uqaujjuivalauraluaqtillugit taakkua niqiliuqtininngaaqsimangmata ammalu Gavamakkunninngaallarinngittuq.

Qujannamiik Guillaume Ittuksarjuat Saladin, Olivia, amma Hector ikajuqsuivalaurassi qinuisaaqtusilu.

TUKISIGIARVIUSIMAJUT

Niqiliriniq Nunavummi

Government of Nunavut Department of Health
https://livehealthy.gov.nu.ca/iu

KANATAMI NIQILIRIJIT

https://www.dietitians.ca/Dietitians-Views/Specific-Populations/Aboriginal-Nutrition.aspx

Nunavummi Niqiqattiarniq

NUNAVUMMIUT NIQIQAQTILLUGIT

http://www.feedingnunavut.com

NUNAVUMMI NIQIQATTIARNIRMUT KATIMAJIT

https://www.nunavutfoodsecurity.ca/iu

Sukaq

KANATAMI SUKALIRIJIT

http://sugar.ca/english/pdf/carbohydratenews/CarboNews2011.pdf

Niqilirittiarniq

KANATAUP GAVAMANGATTA AANNIAQARNANNGITTULIRIJINGIT

https://www.canada.ca/en/health-canada/services/food-nutrition/food-safety.html